CUISINE VÉGÉTARIENNE

SAINE ET SAVOUREUSE

Sommaire

Nombreux sont ceux qui souhaiteraient se passer complètement de viande ou, au moins, réduire leur consommation, après en avoir perdu l'envie à cause des scandales et des reportages sur l'élevage en masse, ou pour se nourrir plus sainement, ou encore pour des principes éthiques. Quelles que soient les raisons : si l'on a une alimentation végétarienne, on ne doit pas renoncer au plaisir et à la diversité, mais on peut faire apparaître tous les jours sans problème sur la table des plats succulents !

Une nourriture équilibrée

La raison pour laquelle nous devons manger est simple : nous avons constamment besoin d'énergie qui doit être renouvelée. Avec la nourriture, nous absorbons des protéines, des hydrates de carbone, des graisses, des substances minérales, des oligoéléments, des vitamines et des fibres alimentaires qui sont transformés dans le corps en énergie et qui lui procurent toutes les substances nutritives vitales. L'équilibre devrait donc être le B-A-BA de votre alimentation, tout particulièrement si vous vous dispensez de viande. En effet, manger végétarien ne signifie nullement qu'il faut mettre en jeu la saine harmonie de votre équilibre nutritionnel et minéral : après tout, toutes les substances nutritives peuvent aussi être remplacées par des produits végétaux, des produits laitiers, des œufs ou du poisson.

Protéines

Le corps a besoin de protéines pour la construction de muscles et d'organes, mais aussi pour la formation de sang et d'hormones. Les protéines peuvent être d'origine animale ou végétale. Si l'on ne mange pas ou peu de viande, il faut veiller à absorber suffisamment de protéines issues d'autres aliments. Il peut s'agir de produits laitiers et céréaliers, d'œufs, de légumes secs, de fruits, de soja ou de fruits à coque.

Hydrates de carbone

Les hydrates de carbone sont particulièrement importants pour la construction des muscles ainsi que pour les cellules cérébrales et nerveuses. Ils sont contenus en quantité dans les céréales, les légumes, les produits complets et les pommes de terre.

Graisse

La graisse est un élément vital indispensable pour le corps humain. Mais vous pouvez très bien vous passer de viande car les graisses végétales, à quelques exceptions près, sont non saturées et bien plus saines que les graisses animales.

Vitamines et substances minérales

Les vitamines et les substances minérales ne fournissent pas d'énergie, mais elles ont des tâches très variées à accomplir dans notre corps. De plus, elles sont nécessaires pour que les processus métaboliques puissent se dérouler sans problème et que le système immunitaire soit renforcé. Étant donné que le corps ne produit des vitamines lui-même que dans une très faible proportion, elles doivent absolument être absorbées avec la nourriture. On trouve notamment vitamines et substances minérales dans les légumes et les fruits.

Oligoéléments

Les oligoéléments sont eux aussi indispensables et même vitaux pour de nombreuses fonctions. Ils peuvent être absorbés grâce aux fruits, aux céréales, aux légumes, aux œufs ou aux produits laitiers. Une bonne nourriture peut donc aussi agir contre le manque de fer qui survient souvent en cas de renoncement à la viande. Grâce à une consommation fréquente de pain complet, de légumes secs ou de légumes verts, l'équilibre du taux de fer peut être maintenu.

En bonne santé sans viande

Quand on ne mange pas ou peu de viande, on ne risque pas de carence nutritionnelle si l'on s'alimente de façon variée. Il n'est pas malsain de renoncer à la viande, au contraire : quand on a une alimentation végétarienne, on a généralement un taux de cholestérol plus bas que les mangeurs de viande, on souffre plus rarement de surpoids, on diminue le risque d'être atteint de cancer, de diabète ou de goutte et l'on réduit le risque d'infarctus résultant d'une hypertension.

Salades et entrées

Salade de champignons

Nettoyer les champignons en les frottant à l'aide d'un linge humide, puis les découper en tranches. Faire chauffer 2 cuillerées à soupe d'huile dans une poêle et y faire revenir les champignons pendant environ 7 minutes sans cesser de remuer. Éplucher l'oignon et l'émincer avant de l'ajouter aux champignons. Faire revenir pendant encore 3 minutes, puis saler et poivrer. Transférer les champignons dans un plat de service et les laisser refroidir.

Laver les tomates, retirer les pédoncules, puis découper la chair en morceaux. Les ajouter aux champignons. Préparer la vinaigrette avec l'huile restante, le vinaigre et le miel. Saler et poivrer. Verser la moitié de la vinaigrette obtenue sur le mélange de tomates et de champignons, puis laisser macérer pendant 20 minutes.

Laver les radis, les sécher, puis les couper en rondelles. Laver toutes les fines herbes, puis les sécher et les hacher finement. Faire de même avec le cresson.

Mélanger les radis, les fines herbes et le cresson avec le reste de la vinaigrette, puis verser le tout sur les champignons et les tomates.

Pour 4 personnes

400 g de champignons
80 ml d'huile
1 oignon
Sel
Poivre
300 g de tomates
3 c.s. de vinaigre balsamique blanc
1 c.s. de miel
1 botte de radis
1 bouquet de ciboulette
1 bouquet de cerfeuil
1/2 bouquet de persil plat
1/2 bouquet de ciboulette
1 botte de cresson alénois

Préparation :
env. 30 minutes (temps de macération en sus)

Par portion :
env. 212 kcal/890 kJ
P : 6 g · L : 18 g · G : 5 g

Salade de pâtes

Pour 4 personnes

250 g de macaronis
Sel
100 g de pois mangetout
1 poivron rouge
1 botte d'oignons verts
1/2 bouquet d'aneth
1/2 bouquet de basilic
1 bouquet de persil plat
4 c.s. de yaourt
4 c.s. de crème fraîche
1 c.s. de raifort
Poivre

Préparation :
env. 20 minutes

Par portion :
env. 255 kcal/1 071 kJ
P : 10 g · L : 2 g · G : 48 g

Faire cuire les macaronis dans un gros volume d'eau bouillante salée en suivant les instructions figurant sur le paquet.

Laver les pois mangetout, les sécher, puis les faire blanchir rapidement dans l'eau bouillante. Les égoutter, puis les passer sous l'eau froide et les égoutter soigneusement.

Parer le poivron, le laver, le sécher, puis le couper en deux. L'épépiner avant de le découper en petits morceaux. Parer les oignons verts, les laver, puis les couper en fines rondelles. Laver les herbes, les sécher et les hacher finement.

Égoutter les pâtes. Mélanger le yaourt avec la crème fraîche, le raifort et les herbes. Saler et poivrer. Mélanger la sauce avec les légumes, puis verser le tout sur les pâtes. Servir la salade de pâtes tiède.

Pour 4 personnes

2 oranges
500 g de carottes
2 c.s. de sucre
$^1/_2$ c.c. de cannelle
1 c.c. d'eau de fleur d'oranger
Sel
Feuilles de menthe
  en garniture

Préparation :
env. 20 minutes (temps
de réfrigération en sus)

Par portion :
env. 171 kcal/717 kJ
P : 2 g · L : 12 g · G : 11 g

carottes râpées
à la cannelle

Éplucher une orange et découper la chair. Presser la
seconde orange. Laver les carottes et les éplucher avant
de les râper.

Mélanger les morceaux d'orange, le jus d'orange et les
carottes râpées avec le sucre, la cannelle et l'eau de fleur
d'oranger. Saler, puis placer au réfrigérateur.

Répartir la salade froide dans des bols et garnir de
feuilles de menthe.

Pour 4 personnes

350 g de tomates cocktail
1 bouquet de basilic
200 g de billes de mozzarella
1 c.s. de vinaigre balsamique
blanc
Sel
Poivre
1 gousse d'ail
2 c.s. d'huile d'olive
2 c.s. de pesto

Préparation :
env. 15 minutes

Par portion :
env. 205 kcal/861 kJ
P : 5 g · L : 7 g · G : 30 g

Brochettes
de tomates et mozzarella

Laver les tomates cocktail et les sécher. Laver le basilic, le sécher et l'effeuiller. Égoutter la mozzarella. Piquer sur une brochette, en les alternant, les tomates, le basilic et les billes de mozzarella.

Pour la vinaigrette, mélanger le vinaigre balsamique avec du sel et du poivre fraîchement moulu. Éplucher la gousse d'ail, la hacher et l'incorporer au vinaigre. Incorporer l'huile d'olive et le pesto en battant avec un fouet. Tremper les brochettes dans la vinaigrette avant de les servir avec du pain ciabatta.

Mozzarella in carrozza

Retirer la croûte du pain de mie. Égoutter la mozzarella, puis découper les boules en rondelles d'environ 0,5 cm. Tartiner quatre tranches de mie avec 1 cuillerée à café de pesto, puis ajouter une rondelle de mozzarella. Saler et poivrer à volonté. Recouvrir chaque sandwich d'une tranche de pain de mie.

Battre les œufs avec le lait, saler et poivrer. Tremper chaque sandwich dans le mélange, de chaque côté.

Mélanger la farine et le parmesan dans une assiette, puis y tremper les deux faces des sandwiches. Faire dorer les sandwiches dans de l'huile d'olive chaude pendant environ 4 minutes de chaque côté en les retournant prudemment.

Servir les sandwiches chauds avec du mesclun et des tomates cerises assaisonnés de vinaigrette aux herbes.

Pour 4 personnes

8 tranches de pain de mie
2 boules de mozzarellas
  (env. 125 g)
4 c.s. de pesto
Sel
Poivre
4 œufs
4 c.s. de lait
8 c.s. de farine
4 c.s. de parmesan râpé
10 à 14 c.s. d'huile d'olive

Préparation :
env. 20 minutes (temps de cuisson
en sus)

Par portion :
env. 434 kcal/1 823 kJ
P : 20 g · L : 29 g · G : 22 g

11

Pour 4 personnes

Pour la salade
3 poivrons verts
2 aubergines
2 œufs
1 c.s. de vinaigre de fruits
Sel
150 ml d'huile végétale
1/2 citron confit
150 g d'olives vertes
dénoyautées
2 c.s. d'huile d'olive
Jus d'un citron
Poivre
1 c.s. de persil plat haché

Pour les citrons confits
2 kg de citrons non traités
500 g de gros sel
Huile

Préparation :
env. 30 minutes (temps de cuisson
et temps de macération des citrons
confits en sus)

Par portion :
env. 318 kcal/1 334 kJ
P : 8 g · L : 29 g · G : 10 g

Salade de légumes...

Préchauffer le gril du four. Parer les poivrons, les couper en deux, puis les épépiner et les laver. Recouper les morceaux en deux et les placer sous le gril. Les faire griller jusqu'à ce que la peau noircisse et soit boursouflée. Réserver les poivrons et les laisser refroidir avant de les éplucher et de les couper en morceaux. Parer les aubergines, les laver, puis les couper en dés d'environ 1 cm de côté.

Casser les œufs, puis séparer les blancs des jaunes. Mélanger les blancs avec le vinaigre et 1/2 cuillerée à café de sel. Plonger les aubergines dans le mélange, puis les faire frire dans l'huile chaude. Les retirer de la poêle, puis les laisser égoutter sur du papier absorbant. Éplucher le citron confit, laver l'écorce et la couper en petits morceaux.

Mélanger les poivrons, les aubergines, l'écorce de citron et les olives dans un saladier. Préparer une vinaigrette avec l'huile d'olive et le jus de citron. Saler et poivrer, puis arroser les légumes avec la vinaigrette obtenue. Parsemer de persil haché et servir.

... aux citrons confits

Pour préparer des citrons confits, laver les citrons, puis pratiquer 5 entailles et les remplir de gros sel. Placer les citrons dans un bocal en verre et les couvrir d'eau bouillante. Couvrir la surface d'huile et laisser macérer pendant 3 semaines.

Pour 4 personnes

250 g de haricots blancs
Sel
1 botte d'oignons verts
50 g de feuilles de romaine
12 olives noires
Jus d'un citron
150 c.s. d'huile d'olive
Poivre noir
3 c.s. de persil plat haché

Préparation :
env. 20 minutes (temps de cuisson
et de trempage en sus)

Par portion :
env. 428 kcal/1 800 kJ
P : 15 g · L : 27 g · G : 30 g

Salade
de haricots blancs

Faire tremper les haricots pendant toute une nuit dans l'eau froide. Le lendemain, les faire cuire dans de l'eau pendant 40 minutes jusqu'à ce qu'ils soient cuits. veiller à ce qu'ils ne se défassent pas.

Égoutter les haricots en réservant le jus de cuisson. Parer les oignons verts, les laver, puis les couper en rondelles. Laver la romaine, la sécher et en prélever les plus grandes feuilles.

Disposer les haricots, les oignons verts et les feuilles de romaine dans un saladier.

Mélanger le jus de citron, l'huile, 5 à 6 cuillerées à soupe de jus de cuisson. Saler et poivrer, puis arroser la salade de haricots avec la sauce obtenue avant de servir.

14

Salade à la portugaise

Laver les tomates, retirer les pédoncules, puis découper en rondelles. Parer les poivrons, les laver, les épépiner, puis les couper en lanières. Parer les carottes, les éplucher, puis les râper.

Éplucher l'oignon et le découper en anneaux fins. Faire durcir l'œuf, l'écaler et le couper en rondelles. Laver le persil, le sécher, l'effeuiller et le hacher finement. Laver les radis, les parer, puis les couper en rondelles. Parer la laitue, la laver, la sécher et en prélever les feuilles.

Disposer les légumes et la salade dans un saladier. Préparer une vinaigrette avec les ingrédients restants et en arroser la salade. Décorer avec des rondelles d'œuf et parsemer de persil haché.

Pour 4 personnes

2 grosses tomates mûres
2 poivrons verts
3 carottes
1 oignon
1 œuf
1 bouquet de persil
5 radis
1 cœur de laitue
1 c.s. d'aneth frais haché
5 c.s. d'huile
5 c.s. de vinaigre
Sel
Poivre

Préparation :
env. 20 minutes

Par portion :
env. 113 kcal/474 kJ
P : 4 g · L : 7 g · G : 6 g

15

carpaccio de légumes

Pour 4 personnes

1 carotte
1 petit panais
(ou persil tubéreux)
1 petit brocoli
Sel
1 betterave rouge
$1/2$ courgette
$1/2$ concombre
Poivre
Coriandre et basilic
($1/2$ bouquet de chaque)
1 gousse d'ail
250 ml d'huile d'olive
100 g de parmesan
Jus d'un citron

Préparation :
env. 30 minutes

Par portion :
env. 710 kcal/2 982 kJ
P : 11 g · L : 69 g · G : 5 g

Nettoyer et éplucher la carotte et le panais. Laver le brocoli et le laisser égoutter. Faire blanchir tous les légumes pendant 3 à 4 minutes dans l'eau bouillante salée. Laver la betterave et la faire cuire à l'eau bouillante, puis l'éplucher. Laver la courgette et le concombre, puis les sécher. Découper tous les légumes en très fines rondelles ou très fines lanières. Disposer les légumes dans 4 assiettes. Saler et poivrer.

Laver et sécher les fines herbes. Éplucher l'ail et le mélanger avec les fines herbes. Hacher le tout à l'aide d'un mixeur en incorporant 200 ml d'huile. Saler et poivrer, puis répartir le mélange obtenu sur les légumes.

Râper le parmesan en fins copeaux. Placer le fromage dans une poêle sans graisse et le faire fondre en façonnant 4 espèces de galettes. Les retirer de la poêle, puis les laisser sécher sur du papier absorbant. Casser chaque galette en morceaux (de la taille d'une bouchée) et les disposer sur chaque assiette. Arroser le carpaccio avec le jus de citron et l'huile d'olive restants.

Pour 1 à 2 personnes

125 ml de lait
Sel
Noix muscade râpée
55 g de couscous
2 tomates
1/4 de concombre
1/2 c.s. de vinaigre de vin blanc
3 c.s. d'huile d'olive
Poivre
Sucre à volonté
1 c.s. de menthe fraîche hachée

Préparation :
env. 15 minutes (temps
de trempage et de refroidissement
en sus)

Par portion : env. 218 kcal/915 kJ
P : 5 g · L : 10 g · G : 25 g

Taboulé

Porter à ébullition le lait avec 250 ml d'eau, 1 pincée de sel et 1 pincée de noix muscade. Retirer du feu et verser sur le couscous, mélanger et laisser gonfler pendant environ 15 minutes. Laisser refroidir et mélanger de nouveau.

Laver les tomates, retirer le pédoncule et les couper en rondelles. Laver le concombre et le couper en deux dans la longueur avant de retirer les pépins et de le couper en tranches. Mélanger le vinaigre avec l'huile, le sel, le poivre et le sucre.

Mélanger le couscous avec les tomates, le concombre et la vinaigrette dans un saladier. Garnir de menthe hachée.

Taboulé au boulgour

Faire cuire le boulgour pendant environ 10 minutes dans
1/2 l d'eau salée, puis le retirer du feu et le laisser gonfler
pendant 20 minutes.

Laver le persil et la menthe, les sécher, puis les hacher
finement. Éplucher le concombre et le couper en petits
dés. Parer les oignons verts, les laver et les hacher
finement.

Laver les tomates, retirer les pédoncules et couper en
deux. Épépiner les tomates et couper la pulpe en petits
dés. Dans un saladier, aérer le boulgour à l'aide d'une
fourchette et y incorporer les légumes et les herbes
aromatiques.

Mélanger le jus de citron, l'huile, le sel et le poivre.
Arroser le boulgour avec la sauce obtenue, puis laisser
macérer pendant au moins 1 heure avant de mélanger
de nouveau et de servir.

Pour 4 personnes

200 g de boulgour
Sel
1 bouquet de persil plat
1 botte de menthe
1/2 concombre
4 oignons verts
2 tomates
Jus de 2 citrons
4 c.s. d'huile d'olive
Poivre

Préparation :
env. 20 minutes (temps
de trempage et de macération
en sus)

Par portion :
env. 308 kcal/1 291 kJ
P : 6 g · L : 13 g · G : 42 g

19

Pommes de terre au cumin

Pour 4 personnes

400 g de pommes de terre
1 c.s. de cumin
Sel marin
400 g de betterave rouge
1 botte d'oignons verts
10 feuilles de sauge
1 botte de radis
100 g de radis noir
200 g de concombre
200 ml de yaourt à la grecque
1 c.s. de paprika en poudre
2 c.s. d'huile pimentée
Tabasco
Fines herbes en garniture

Préparation :
env. 30 minutes (temps de cuisson
et de macération en sus)

Par portion :
env. 238 kcal/1 000 kJ
P : 5 g · L : 11 g · G : 23 g

Laver les pommes de terre avec leur peau pendant environ 25 minutes dans l'eau salée et assaisonnée avec le cumin. Égoutter les pommes de terre, puis les laisser refroidir avant de les éplucher et de les couper en cubes.

Couper la betterave en cubes. Parer les oignons verts, les laver et les découper en anneaux. Laver la sauge, la sécher et la hacher finement. Éplucher le radis noir et le concombre, puis les couper en dés.

Mélanger le yaourt à la grecque avec le paprika et l'huile pimentée, et assaisonner avec un peu de Tabasco. Placer les légumes dans un saladier et les arroser avec la sauce obtenue. Laisser macérer la salade pendant 10 minutes, puis la servir parsemée de fines herbes.

Salade de pommes de terre

Laver les pommes de terre avec leur peau pendant environ 25 minutes dans l'eau salée. Les laisser tiédir et les éplucher avant de les laisser refroidir complètement. Les couper en tranches et leur ajouter l'oignon haché.

Mélanger le bouillon de légumes chaud avec le sel, le poivre, le vinaigre et 5 cuillerées à soupe d'huile, puis arroser les pommes de terre avec la sauce obtenue. Mélanger délicatement et laisser macérer pendant au moins 15 minutes.

Parer les champignons, puis les frotter à l'aide d'un linge humide et les couper en deux ou en quatre selon leur taille. Faire revenir les champignons dans une poêle pendant 5 à 8 minutes avec du beurre. Assaisonner les champignons avec du vinaigre balsamique, du sel et du poivre. Laisser refroidir.

Parer la roquette, la laver et bien l'égoutter. Hacher finement les tomates. Mélanger la moutarde, le sel et le vinaigre de vin. Incorporer l'huile restante. Assaisonner la roquette avec la sauce obtenue et la disposer sur des assiettes avec les pommes de terre et les champignons. Garnir avec des morceaux de tomates séchées.

Pour 4 personnes

800 g de pommes de terre cuites
1 gros oignon, finement haché
200 ml de bouillon de légumes chaud
Sel
Poivre fraîchement moulu
4 à 5 c.s. de vinaigre de vin blanc
7 c.s. d'huile de colza
250 g de champignons
10 g de beurre
Vinaigre balsamique
2 bottes de roquette
3 tomates séchées
1 c.c. de moutarde
1 c.s. de vinaigre de vin rouge

Préparation :
env. 30 minutes (temps de cuisson et de macération en sus)

Par portion :
env. 521 kcal/2 181 kJ
P : 13 g · L : 35 g · G : 34 g

21

Pour 4 personnes

50 g de pistaches
2 pamplemousses roses
2 avocats
1 piment rouge
1 échalote
2 c.s. de vinaigre de vin blanc
Sel
Poivre
2 c.s. d'huile de tournesol
100 g de germes de soja

Préparation :
env. 20 minutes (temps de cuisson
en sus)

Par portion :
env. 417 kcal/1 751 kJ
P : 6 g · L : 36 g · G : 14 g

Pamplemousses
aux pistaches

Faire griller les pistaches à sec dans une poêle, puis les hacher. Éplucher les pamplemousses, prélever les filets, puis les couper en deux, en réservant le jus. Couper les avocats en deux, les éplucher et les dénoyauter avant de couper la pulpe en morceaux.

Laver le piment, l'épépiner et retirer le pédoncule avant de le hacher finement. Éplucher l'échalote et la hacher.

Mélanger le vinaigre, le jus des pamplemousses, le sel, le poivre et l'huile. Incorporer le piment et l'échalote. Laver les germes de soja et les égoutter.

Mélanger les ingrédients de la salade avec les germes de soja, puis les arroser avec la vinaigrette. Garnir la salade de pistaches hachées et servir.

Pour 4 personnes

500 g d'épinards frais
(ou 450 g d'épinards surgelés)
Sel
2 c.s. de graines de sésame
200 g de brie
2 pêches
3 c.s. de jus de citron
Poivre
Noix muscade râpée
8 c.s. d'huile de colza

Préparation :
env. 20 minutes

Par portion :
env. 400 kcal/1 680 kJ
P : 36 g · L : 14 g · G : 6 g

Salade d'épinards aux pêches

Parer les épinards en retirant les grosses tiges, puis les laver et les blanchir pendant 1 minute à l'eau salée. Les égoutter, puis les passer sous l'eau froide et les égoutter de nouveau soigneusement en exprimant bien l'eau. Les hacher ensuite grossièrement. Avec des épinards surgelés, les décongeler en suivant les instructions du paquet et bien les égoutter.

Faire griller les graines de sésame à sec dans une poêle jusqu'à ce que les arômes se diffusent. Couper le brie en cubes. Laver les pêches, les couper en deux et les dénoyauter avant de les couper en fins quartiers et de les arroser avec 1 cuillerée à soupe de jus de citron.

Mélanger le jus de citron restant avec le sel, le poivre et la noix muscade, puis incorporer l'huile de colza en remuant vigoureusement. Répartir les épinards, les morceaux de brie, les graines de sésame et les pêches dans des assiettes ou des coupelles, puis arroser avec la sauce.

Lentilles en salade

Faire tremper les lentilles pendant toute une nuit dans l'eau, puis les égoutter. Faire cuire les lentilles à couvert dans le bouillon de légumes pendant environ 35 minutes.

Parer les poivrons, les épépiner, les laver, puis les couper en dés. Laver les tomates, les sécher, retirer les pédoncules et couper les tomates en morceaux. Éplucher l'oignon et le hacher finement. Laver les herbes de Provence, les sécher et les hacher finement.

Verser les lentilles dans une passoire pour les égoutter et les laisser refroidir. Mélanger les lentilles avec les légumes.

Mélanger ensuite les herbes de Provence, le jus de citron, l'huile, le sel et le poivre, puis arroser les lentilles avec la sauce obtenue. Bien mélanger le tout et laisser macérer pendant 30 minutes avant de servir.

Pour 4 personnes

250 g de lentilles brunes
750 ml de bouillon de légumes
1 poivron rouge et 1 poivron
  vert
2 tomates
1 oignon
1 bouquet d'herbes
  de Provence
100 ml de jus de citron
6 c.s. d'huile d'olive
Sel
Poivre

Préparation :
env. 30 minutes (temps
de trempage, cuisson et
macération en sus)

Par portion :
env. 297 kcal/1 247 kJ
P : 16 g · L : 7 g · G : 40 g

25

Tartelettes au fromage frais

Dans les tranches de pain, découper 12 cercles d'environ 10 cm de diamètre. Beurrer légèrement des moules à tartelettes. Préchauffer le four à 170 °C (th. 5-6).

Badigeonner les cercles de pain des deux côtés de beurre et en foncer les moules à tartelettes. Faire cuire au four pendant environ 15 minutes. Laisser refroidir et démouler délicatement.

Mélanger la sauce tomate, le fromage frais et la crème fraîche. Parer les oignons verts, les laver et les couper en anneaux fins. Laver les herbes, les sécher et les hacher finement. Incorporer les oignons verts et les herbes dans le mélange de fromage frais. Saler et poivrer.

Répartir la préparation sur les tartelettes, puis parsemer de pecorino. Enfourner à mi-hauteur et faire cuire pendant environ 6 minutes. Garnir avec du cresson ou des fines herbes.

Pour 4 personnes

12 tranches de pain complet
80 g de beurre
300 g de sauce tomate
  (en boîte)
200 g de fromage frais
4 c.s. de crème fraîche
1/2 botte d'oignons verts
1/2 bouquet de persil
1/2 bouquet de basilic
Sel
Poivre
5 c.s. de pecorino râpé
Cresson ou fines herbes
  en garniture
Beurre pour les moules

Préparation :
env. 30 minutes (temps de cuisson en sus)

Par portion :
env. 366 kcal/1 538 kJ
P : 13 g · L : 18 g · G : 34 g

Pour 4 personnes

300 g de pois mangetout
Sel
300 g de carottes
25 g de pignons
2 bouquets de basilic
2 gousses d'ail
2 c.s. de vinaigre balsamique
Sucre
6 c.s. d'huile d'olive

Préparation :
env. 25 minutes

Par portion :
env. 213 kcal/890 kJ
P : 4 g · L : 18 g · G : 9 g

Mangetouts
au basilic

Parer les pois mangetout, les laver et les faire blanchir pendant 2 minutes à l'eau bouillante salée. Parer les carottes, les éplucher et les couper en fins rondelles.

Faire griller les pignons dans une poêle à sec. Laver le basilic, le sécher et l'effeuiller.

Pour la vinaigrette, éplucher l'ail et le hacher. Mélanger l'ail, le vinaigre balsamique, le sel et 1 pincée de sucre. Incorporer l'huile.

Disposer les ingrédients dans des assiettes et les arroser avec la vinaigrette.

Salade de fenouil

Parer les fenouils, les laver et les râper grossièrement.
Parer les carottes, les éplucher et les râper en grosses
lanières. Mélanger les fenouils et les carottes avec
2 cuillerées à soupe de jus de citron.

Faire chauffer l'huile aux herbes dans une poêle et y faire
dorer les morceaux de pain avant de les égoutter sur du
papier absorbant.

Pour la sauce, mélanger le yaourt à la grecque avec
le lait, le concentré de tomates et la moutarde. Émietter
le fromage de chèvre et l'incorporer à la sauce. Saler
et poivrer, puis assaisonner avec 1 cuillerée à soupe
de jus de citron. Laver le basilic, le sécher et le ciseler.

Mélanger les légumes avec la sauce, puis les disposer
sur des assiettes creuses et les garnir avec des croûtons
et du basilic.

Pour 4 personnes

3 bulbes de fenouil
4 carottes
3 c.s. de jus de citron
2 c.s. d'huile aromatisée
  aux herbes
4 tranches de pain complet,
  coupées en morceaux
200 g de yaourt à la grecque
2 c.s. de lait
1 à 2 c.c. de concentré
  de tomates
1 c.s. de moutarde douce
100 g de fromage de chèvre
Sel
Poivre
1/2 bouquet de basilic

Préparation :
env. 25 minutes

Par portion :
env. 288 kcal/1 210 kJ
P : 13 g · L : 15 g · G : 23 g

Kibbeh libanais au boulgour

Pour 4 personnes

250 g de boulgour
2 aubergines de taille moyenne
2 gousses d'ail
1 piment rouge
1 gros oignon
$1/2$ c.c. de piment en poudre
$1/2$ c.c. de coriandre en poudre
Sel
Huile de tournesol
1 bouquet de persil

Préparation :
env. 20 minutes (temps de
trempage et de cuisson en sus)

Par portion :
env. 578 kcal/2 426 kJ
P : 40 g · L : 5 g · G : 93 g

Placer le boulgour dans un saladier et le couvrir d'eau.
laisser gonfler pendant 20 minutes. Laver les aubergines,
les épépiner et les concasser grossièrement. Éplucher
l'ail et le hacher grossièrement. Laver le piment et le
couper en deux dans la longueur avant de l'épépiner
et de retirer le pédoncule.

Égoutter le boulgour dans une passoire fine, puis le
transférer dans un saladier. Placer les légumes dans
un mixeur et les réduire en purée, puis leur ajouter
le boulgour. Ajouter éventuellement un peu d'eau pour
obtenir la consistance souhaitée. Éplucher l'oignon,
le hacher, puis l'ajouter à la préparation avec les épices
et un peu de sel. Façonner des boules de préparation,
puis les aplatir en forme de galettes.

Faire chauffer l'huile dans une poêle, puis faire revenir
les galettes à feu moyen jusqu'à ce qu'elles soient
dorées. Les retirer de la poêle et les laisser égoutter
sur du papier absorbant. Laver le persil, le sécher et le
hacher finement. Servir les kibbeh parsemés de persil
haché.

Méli-mélo de grenade et d'avocat

Pour 4 personnes

3 grenades
400 g de grains de raisin blanc
4 c.s. de feuilles de menthe,
lavées
3 c.s. de vinaigre de framboises
2 c.s. d'huile d'olive
3 c.s. de grenadine
1 c.c. de miel
Sel
Poivre
2 avocats
2 c.s. de jus de citron

Préparation :
env. 35 minutes

Par portion :
env. 490 kcal/2 060 kJ
P : 10 g · L : 14 g · G : 8 g

Couper les grenades en deux, puis prélever les grains. Laver les grains de raisin, les sécher et les couper en deux avant de les épépiner.

Hacher 2 cuillerées à soupe de menthe. Mélanger le vinaigre, l'huile, la grenadine, le miel et la menthe hachée. Saler et poivrer.

Éplucher les avocats, les couper en deux et les dénoyauter. Couper la pulpe en lamelles et les arroser de jus de citron.

Mélanger les grains de grenade et de raisin avec les lamelles d'avocat, puis arroser le mélange avec un peu de sauce. Répartir le méli-mélo dans des assiettes et l'arroser avec la sauce restante. Garnir avec la menthe restante et servir.

Salade de chèvre chaud

Pour 4 personnes

1 salade frisée
1 botte de roquette
50 g de graines germées
1 gros citron
1 c.c. de moutarde forte
Sel
Poivre
2 à 3 c.c. de miel liquide
Env. 8 c.s. d'huile de noix
8 petits fromages de chèvre
16 tranches de baguette
Poivre rose, grossièrement
   concassé

Préparation :
env. 20 minutes (temps de cuisson
en sus)

Par portion :
env. 505 kcal/2 121 kJ
P : 21 g · L : 31 g · G : 36 g

Laver la salade et la roquette, les sécher, puis retirer les feuilles extérieures de la frisée (elles sont amères) avant de ciseler le tout. Parer les graines germées, les laver et les égoutter.

Préchauffer le four à 200 °C (th. 7-8). Presser le citron et mélanger le jus avec la moutarde, le sel, le poivre et 1 cuillerée à café de miel. Incorporer 4 cuillerées à soupe d'huile.

Couper les fromages de chèvre en deux dans l'épaisseur et les arroser avec un peu d'huile. Faire dorer les tranches de baguettes pendant 2 à 3 minutes avec l'huile restante dans une poêle. Placer les rondelles de fromage de chèvre sur les tranches de baguette et les faire gratiner au four pendant 2 à 3 minutes.

Répartir la salade dans 4 assiettes et les arroser avec la vinaigrette. Disposer les tartines de fromage sur la salade, arroser avec le miel restant et garnir avec du poivre rose. Servir immédiatement.

Salade de riz sauvage

Faire cuire le riz en suivant les instructions figurant sur le paquet. L'égoutter, puis le laisser refroidir pendant environ 12 minutes, en le remuant de temps en temps.

Pendant ce temps, laver la pomme, le poivron et le céleri, puis les sécher et les couper en dés. Placer le tout dans un saladier.

Pour l'assaisonnement, mélanger la sauce de soja, le sucre et le vinaigre avec 2 cuillerées à soupe d'eau jusqu'à ce que le sucre soit dissous.

Bien mélanger le riz avec les fruits et les légumes, puis arroser la salade avec la vinaigrette. Parsemer de cacahuètes grillées et servir.

Pour 4 personnes

75 g de riz sauvage
$^1/_2$ pomme de taille moyenne
$^1/_2$ poivron vert
$^1/_2$ branche de céleri
50 g d'abricots secs
2 c.s. de sauce de soja
2 c.c. de sucre
2 c.c. de vinaigre de fruits
25 g de cacahuètes natures grillées

Préparation :
env. 20 minutes (temps de cuisson et de refroidissement en sus)

Par portion :
env. 110 kcal/460 kJ
P : 3 g · L : 3 g · G : 23 g

6 œufs
250 ml de lait
4 c.s. de fines herbes finement
hachées (ciboulette, persil,
aneth)
Sel
Poivre
250 g d'asperges vertes
2 gousses d'ail
3 c.s. d'huile d'olive
200 g de tomates cocktail
1/2 bouquet de ciboulette
8 fonds de tartelettes

Préparation :
env. 30 minutes (temps de cuisson
en sus)

Par portion :
env. 402 kcal/1 689 kJ
P : 20 g · L : 20 g · G : 29 g

Tartelettes
aux asperges vertes

Battre les œufs avec le lait, les fines herbes, un peu de sel et du poivre. Laver les asperges, les parer et couper le tronçon inférieur. Couper les asperges en tronçons d'environ 3 cm de longueur. Les faire blanchir pendant environ 5 minutes dans l'eau bouillante salée.

Éplucher l'ail et le piler avec un peu de sel dans un mortier. Faire revenir les asperges avec l'ail pendant environ 7 minutes dans l'huile d'olive chaude. Incorporer les œufs battus et faire cuire encore 5 minutes à feu doux.

Laver les tomates et les couper en fines rondelles. Laver la ciboulette, la sécher et la ciseler finement. Remplir les fonds de tartelette avec la préparation et garnir avec des rondelles de tomate. Parsemer de ciboulette et servir.

Salade grecque

Laver les pommes de terre et les faire cuire pendant environ 25 minutes dans l'eau bouillante salée. Les égoutter et les laisser refroidir avant de les éplucher et de les couper en rondelles. Parer les oignons verts, les laver et les hacher finement. Couper le fromage de brebis en cubes.

Mélanger les pommes de terre, les oignons verts, le fromage de brebis, les câpres, les olives et les herbes dans un saladier.

Pour l'assaisonnement, mélanger l'huile d'olive et le jus de citron. Incorporer le yaourt, l'aneth et la moutarde. Saler et poivrer.

Napper la salade de pommes de terre avec la sauce obtenue et bien mélanger.

Pour 4 personnes

500 g de pommes de terre
Sel
5 oignons verts
150 g de fromage de brebis
1 c.s. de câpres
80 g d'olives noires
  dénoyautées
3 c.s. de ciboulette hachée
2 c.s. de menthe hachée
100 ml. d'huile d'olive
Jus d'un citron
3 c.s. de yaourt
3 c.s. d'aneth haché
1 c.c. de moutarde
Poivre noir

Préparation :
env. 25 minutes (temps de cuisson en sus)

Par portion :
env. 380 kcal/1 596 kJ
P : 13 g · L : 25 g · G : 26 g

Pour 4 personnes

3 c.s. de graines de courge
épluchées
3 ou 4 échalotes
6 c.s. d'huile d'olive
7 à 8 c.s. de vinaigre de vin
blanc
3 c.s. de miel liquide ou de
sirop d'érable
2 c.s. d'huile de pépins de
courge
Sel
Poivre
1 petit potiron (env. 650 g)
1 petite botte de roquette
200 g de mesclun

Préparation :
env. 20 minutes (temps de cuisson
en sus)

Par portion :
env. 302 kcal/1 268 kJ
P : 3 g · L : 23 g · G : 20

salade fraîche
au potiron

Faire griller les graines de courge à sec dans une poêle.
Éplucher les échalotes et les couper en fins quartiers.
Faire chauffer 3 cuillerées à soupe d'huile d'olive dans
une poêle et y faire revenir les échalotes. Incorporer le
vinaigre et le miel, et laisser mijoter pendant 5 minutes.
Ajouter l'huile de pépins de courge. Saler, poivrer et
laisser refroidir à couvert.

50 minutes avant de servir : préchauffer le four à 175 °C
(th. 5-6). Laver le potiron, puis le couper en tranches
avec la peau et l'épépiner. Arroser le potiron avec l'huile
d'olive restante, saler, poivrer et disposer les tranches
sur une plaque de four. Enfourner et le laisser cuire
pendant environ 45 minutes.

Parer la roquette et le mesclun, les laver, les sécher et
les couper en morceaux. Disposer les tranches de potiron
chaudes et la salade dans des assiettes, puis les arroser
avec la sauce aux échalotes et les parsemer de graines
de courge grillées.

Légumes et champignons

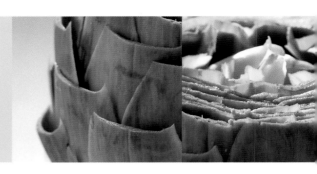

Pour 4 personnes

4 gros artichauts
Jus de citron ou vinaigre
1 carotte
2 filets d'anchois
1 petit pot de câpres
2 œufs durs
1 bouquet de ciboulette
1 bouquet de persil plat
6 c.s. de vinaigre de vin blanc
1 c.s. de moutarde à l'ancienne
12 c.s. d'huile
Sel
Poivre fraîchement moulu

Préparation :
env. 15 minutes (temps de cuisson
en sus)

Par portion :
env. 293 kcal/1 231 kJ
P : 1 g · L : 31 g · G : 3 g

Artichauts vinaigrette

Bien rincer les artichauts sous l'eau courante. Retirer les feuilles extérieures et couper les tiges à la base des artichauts. Couper le tiers supérieur des artichauts à l'aide d'un couteau tranchant. Faire cuire les artichauts dans de l'eau vinaigrée ou citronnée pendant environ 25 minutes.

Éplucher la carotte, puis la râper, et égoutter les anchois et les câpres. Couper les œufs en dés et hacher les anchois et les câpres. Laver le persil et la ciboulette, puis les sécher. Ciseler finement la ciboulette et hacher le persil. Bien mélanger la carotte, les anchois, les câpres et les herbes avec le vinaigre, la moutarde et l'huile. Saler et poivrer.

Vérifier la cuisson des artichauts (les feuilles doivent se détacher facilement), puis les laisser égoutter sur un torchon ou dans une passoire. Les disposer dans des assiettes et les servir avec la vinaigrette.

Rouleaux
de légumes

Éplucher la betterave, la couper en julienne, puis la laisser tremper dans de l'eau glacée. Nettoyer soigneusement les champignons, les sécher et couper les pieds. Couper les papayes en deux et retirer le trognon, puis les éplucher. Couper la chair des papayes en julienne.

Laver la coriandre, la sécher et l'effeuiller. Faire tremper brièvement les feuilles de riz dans de l'eau froide. Les égoutter sur du papier absorbant en les superposant deux par deux. Répartir la betterave, les papayes, les champignons et les feuilles de coriandre sur les feuilles de riz, et arroser le tout de sauce pimentée.

Rouler les feuilles de riz sur les ingrédients, puis couper les rouleaux obtenus en deux. Servir accompagné de sauce pimentée.

Pour 8 rouleaux

175 g de betterave rouge
200 g de champignons enoki
2 papayes
1 bouquet de coriandre
8 feuilles de papier de riz
  (20 cm Ø)
50 ml de sauce pimentée forte

Préparation :
env. 25 minutes

Par rouleau :
env. 44 kcal/187 kJ
P : 2 g · L : 0 g · G : 9 g

45

Pour 4 personnes

700 g d'épinards
Sel
150 g de ricotta (ou autre
fromage frais)
3 jaunes d'œufs
60 g de farine
Poivre
Noix muscade râpée
3 c.s. de beurre
60 g de parmesan
Graisse pour le plat

Préparation :
env. 30 minutes (temps de cuisson
en sus)

Par portion :
env. 535 kcal/2 247 kJ
P : 18 g · L : 45 g · G : 13 g

Croquettes d'épinards

Parer les épinards, les laver et les faire juste tomber dans
une casserole à feu moyen. Retirer la casserole du feu
et égoutter les épinards, en exprimant bien le jus.
Les hacher ensuite finement.

Mélanger la ricotta avec les jaunes d'œufs et la farine
jusqu'à obtention d'une pâte lisse. Incorporer les
épinards à la pâte obtenue. Saler, poivrer et assaisonner
avec la noix muscade.

Faire bouillir une grande casserole d'eau salée.
À l'aide d'une cuillère, prélever des boulettes de pâte aux
épinards et les faire pocher à feu moyen pendant environ
10 minutes dans l'eau bouillante jusqu'à ce qu'elles
remontent à la surface.

Retirer les boulettes de l'eau et les égoutter, puis les
disposer dans un plat à gratin. Les parsemer de noisettes
de beurre et les saupoudrer de parmesan. Enfourner et
faire gratiner sous le gril pendant environ 3 minutes.
Servir et accompagner d'une salade de tomates.

Potage aux épinards et œuf poché

Éplucher l'oignon et l'ail, puis les hacher finement. Faire chauffer 2 cuillerées à soupe de beurre dans une poêle et y faire revenir l'oignon pendant 2 minutes.

Parer les épinards, les laver et les faire juste tomber à feu moyen dans une casserole contenant 100 ml d'eau.

Ajouter l'oignon et le bouillon de légumes, puis porter à ébullition à couvert. Incorporer l'ail au potage, puis saler, poivrer et ajouter la noix muscade. Ajouter le beurre restant et le parmesan, et bien mélanger.

Dans une seconde casserole, verser 750 ml d'eau vinaigrée et porter à ébullition avec un peu de sel. Casser les œufs un par un et les plonger délicatement dans l'eau bouillante pour les faire pocher pendant 3 à 4 minutes.

Répartir le potage aux épinards dans 4 assiettes et les garnir avec un œuf poché. Ajouter éventuellement un peu de parmesan.

Pour 4 personnes

1 oignon
1 gousse d'ail
4 c.s. de beurre
500 g d'épinards
1 l de bouillon de légumes
Poivre
Sel
Noix muscade râpée
2 c.s. de parmesan râpé
2 c.s. de vinaigre
4 œufs

Préparation :
env. 20 minutes (temps de cuisson en sus)

Par portion :
env. 372 kcal/1 564 kJ
P : 21 g · L : 28 g · G : 7 g

Gratin de légumes

Pour 4 personnes

6 à 8 œufs
Sel
Poivre
1 c.s. de persil finement haché
2 carottes
3 panais
3 c.s. d'huile de noix
200 g de patates douces
Graines de fenouil, clous
de girofle en poudre,
cannelle, cardamome, anis
étoilé en poudre (1 pincée de
chaque)
Beurre pour le plat

Préparation :
env. 20 minutes (temps de cuisson
en sus)

Par portion :
env. 369 kcal/1 549 kJ
P : 18 g · L : 21 g · G : 17 g

Préchauffer le four à 170 °C (th. 5-6). Battre les œufs, saler, poivrer et ajouter le persil haché. Parer les carottes et les panais, puis les éplucher et les couper en fines rondelles.

Faire chauffer l'huile dans une poêle et y faire revenir les légumes pendant environ 8 minutes. Laver les patates douces, les éplucher et les couper en dés, puis les ajouter dans la poêle. Assaisonner avec les épices.

Disposer les légumes dans un plat à gratin beurré, puis les napper avec les œufs battus. Faire cuire au four pendant environ 40 minutes. Sortir le plat du four et y découper des parts avant de servir. Accompagner éventuellement de sauce aux prunes asiatique.

casserole
de légumes

Éplucher les oignons et l'ail, puis les hacher finement.
Parer les aubergines et les courgettes, les laver, puis
les couper en deux dans la longueur avant de les recouper
en cubes. Parer les tomates, les laver, les éplucher et les
couper en deux avant de les épépiner et découper la pulpe
en petits morceaux.

Faire chauffer l'huile dans une poêle et y faire revenir les
légumes les uns après les autres pendant 2 à 3 minutes.
Mélanger ensuite tous les légumes dans la poêle, saler,
poivrer, puis ajouter le bouillon de légumes et
assaisonner avec les graines de moutarde et le cumin.

Laver les fines herbes, les sécher et les hacher finement.
Ajouter les fines herbes et la citronnelle aux légumes.
Laisser mijoter pendant environ 3 minutes. Faire griller
les graines de sésame à sec dans une poêle, puis en
parsemer les légumes.

Pour 4 personnes

3 oignons rouges
2 gousses d'ail
2 petites aubergines
2 petites courgettes
4 tomates
2 poivrons
4 c.s. d'huile de sésame
Sel
Poivre fraîchement moulu
Graines de moutarde
Cumin en poudre
1 ou 2 brins de basilic
   thaïlandais
1 ou 2 brins de citronnelle ou
   1 c.s. de citronnelle séchée
500 ml de bouillon de légumes
2 à 3 c.s. de graines de
   sésame

Préparation :
env. 25 minutes (temps de cuisson
en sus)

Par portion :
env. 192 kcal/809 kJ
P : 5 g · L : 13 g · G : 15 g

Pour 4 personnes

250 g de tofu
2 piments rouges
125 ml de bouillon de légumes
4 c.s. de sauce de soja claire
10 c.s. d'huile de sésame
1 petite mangue
Jus d'un demi-citron
Sucre
Sel
1 laitue
3 c.s. de vinaigre de vin blanc
4 c.s. d'huile
Poivre blanc
2 carottes
1 poivron rouge
4 oignons
4 petites tomates
3 œufs
80 g de cacahuètes

Préparation :
env. 1 h (temps de macération
et de cuisson en sus)

Par portion :
env. 329 kcal/1 377 kJ
P : 19 g · L : 18 g · G : 22 g

Brochettes de tofu aux légumes

Couper le tofu en cubes d'environ 2 cm de côté. Parer un piment, le couper en deux dans la longueur avant de l'épépiner et de le hacher finement. Mélanger le bouillon de légumes avec 3 cuillerées à soupe de sauce de soja et 2 cuillerées à soupe d'huile de sésame. Ajouter le piment haché. Faire mariner le tofu dans la préparation pendant 1 heure.

Pour la sauce, éplucher la mangue, la dénoyauter et couper la pulpe en morceaux. Parer le second piment, le laver, le sécher et le découper en fines rondelles. Mélanger la mangue, le piment et la sauce de soja restante avec le jus de citron, 1 pincée de sucre et le sel, puis réduire le tout en purée.

Retirer les feuilles extérieures de la salade, laver le reste et le sécher. Mélanger le vinaigre de vin blanc et l'huile, puis saler et poivrer. Parer les carottes, les éplucher et les couper en rondelles d'environ 2 cm. Faire cuire les carottes pendant 3 à 4 minutes à l'eau bouillante salée. Laver le poivron, le couper en deux et l'épépiner, puis le recouper en morceaux d'environ 2 cm. Éplucher les oignons et les couper en quartiers. Parer les tomates, les laver et les couper en quatre. Retirer le tofu de la marinade et le piquer sur des brochettes en l'alternant avec carotte, poivron, oignon et tomate.

Battre les œufs et hacher finement les cacahuètes. Passer les brochettes d'abord dans l'œuf battu, puis dans les cacahuètes. Faire chauffer l'huile de sésame restante dans une poêle et faire dorer les brochettes pendant 2 à 3 minutes de chaque côté. Répartir les feuilles de laitue dans des assiettes, les arroser de vinaigrette, puis y disposer les brochettes. Servir immédiatement avec la sauce à la mangue.

Terrine de légumes aux châtaignes

Faire cuire les châtaignes dans de l'eau légèrement salée, puis les égoutter et les réduire en purée à l'aide d'une fourchette. Parer et laver les légumes, puis les faire cuire dans de l'eau bouillante salée. Laver le persil, le sécher et le hacher finement. Laver le thym, le sécher et l'effeuiller. Battre les œufs et les mélanger avec le fromage blanc.

Mélanger ensuite la purée de châtaignes, les légumes, la préparation au fromage blanc, le pain, les herbes, le sel aux herbes et le fromage râpé. Saler, poivrer et ajouter le paprika. Transférer la préparation dans une terrine beurrée.

Remplir une lèchefrite aux trois quarts d'eau et y placer la terrine. Faire cuire au four à 180 °C (th. 6) pendant environ 1 heure.

La terrine peut être servie chaude ou froide. Elle peut éventuellement être arrosée de quelques gouttes d'une huile d'olive de très bonne qualité.

Pour 4 personnes

400 g de châtaignes, blanchies
Sel
100 g de brocoli
100 g de carottes, coupées
  en rondelles
100 g de poivron rouge ou
  jaune, coupés en morceaux
2 bouquets de persil plat
2 brins de thym frais
4 œufs
250 g de fromage blanc
100 g de pain complet rassis,
  émietté
200 g de fromage, râpé
  à volonté
Sel aux herbes
Poivre
2 c.c. de paprika en poudre
Huile d'olive à volonté
Beurre pour le plat

Préparation :
env. 30 minutes (temps de cuisson
en sus)

Par portion :
env. 592 kcal/2 486 kJ
P : 34 g · L : 26 g · G : 52 g

Pour 4 personnes

500 g de petites aubergines
500 g de champignons de Paris
125 ml d'huile d'olive
6 gousses d'ail
75 ml de vin blanc sec
Jus et zeste d'un citron non
traité
1/2 bouquet de thym
Sel
Poivre
2 c.s. de persil fraîchement
haché

Préparation :
env. 20 minutes (temps de cuisson
et de macération en sus)

Par portion :
env. 380 kcal/1 596 kJ
P : 4 g · L : 38 g · G : 4 g

Légumes
grillés à l'ail

Préchauffer le four à 200 °C (th. 6-7). Parer les aubergines, les laver, les sécher et les couper en tranches. Nettoyer les champignons en les frottant à l'aide d'un linge humide, puis les couper en deux.

Faire chauffer 3 cuillerées à soupe d'huile d'olive dans une poêle et les faire revenir. Éplucher 2 gousses d'ail et les hacher. Ajouter l'ail aux champignons avec le vin, le jus et le zeste de citron, puis laisser mijoter. Laver le thym, le sécher et l'ajouter aux champignons. Saler et poivrer. Retirer les champignons du feu et laisser macérer pendant au moins 2 heures.

Badigeonner un plat à gratin avec 3 cuillerées à soupe d'huile d'olive et y disposer les tranches d'aubergines. Éplucher 4 gousses d'ail et les hacher avant de les disposer sur les aubergines. Arroser avec 5 cuillerées à soupe d'huile d'olive. Saler et poivrer, puis faire cuire au four pendant environ 35 minutes. Parsemer de persil en fin de cuisson et laisser macérer pendant au moins 1 heure.

Servir les aubergines et les champignons bien chauds.

Quiche au chou rouge

Mélanger la farine, le sel, le fromage blanc et 70 g de beurre, jusqu'à obtention d'une pâte lisse. Abaisser la pâte obtenue et en foncer un moule à tarte. Réfrigérer la pâte pendant 30 minutes.

Parer le chou rouge, le laver et le couper en lanières. Éplucher l'oignon, le hacher et le faire revenir dans le beurre restant. Ajouter le chou rouge, le vinaigre et le bouillon. Assaisonner avec le sucre et les clous de girofle, et laisser mijoter pendant environ 15 minutes. Laisser ensuite refroidir la préparation. Préchauffer le four à 180 °C (th. 6).

Faire griller les graines de tournesol à sec dans une poêle. Laver le thym, le sécher et l'effeuiller. Mélanger la crème fraîche, le lait et les œufs. Saler et poivrer.

Disposer le chou rouge sur le fond de tarte, napper avec la préparation précédente et répartir le fromage de chèvre, les graines de tournesol et les herbes. Arroser d'un peu d'huile d'olive. Faire cuire au four pendant environ 30 minutes. Servir immédiatement accompagné d'une salade verte.

Pour 4 à 6 personnes

100 g de farine
1 pincée de sel
100 g de fromage blanc
100 g de beurre
Env. 300 g de chou rouge
1 oignon
2 c.s. de vinaigre de vin rouge
200 ml de bouillon
Un peu de sucre
2 clous de girofle
50 g de graines de tournesol
4 brins de thym
100 ml de crème fraîche
100 ml de lait
2 œufs
Sel
Poivre
100 g de fromage de chèvre
Huile d'olive
Beurre pour le plat

Préparation :
env. 35 minutes (temps de réfrigération et de cuisson en sus)

Par portion :
env. 557 kcal/2 339 kJ
P : 19 g · L : 43 g · G : 25 g

Pour 4 personnes

200 g de champignons de Paris
1 botte d'oignons verts
5 tomates
200 g de graines germées
200 g de riz cuit
3 à 6 c.s. de xérès
4 à 6 c.s. de sauce de soja
Sel
Poivre
12 feuilles de chou, blanchies et
refroidies
300 ml de bouillon de légumes

Préparation :
env. 25 minutes (temps de cuisson
en sus)

Par portion :
env. 240 kcal/1 007 kJ
P : 9 g · L : 2 g · G : 46 g

chou farci
aux légumes

Nettoyer les champignons à l'aide d'un linge humide, puis les couper en dés. Parer les oignons verts, les laver et les couper en anneaux fins. Laver les tomates et pratiquer une entaille en forme de croix à la base. Plonger les tomates dans l'eau bouillante avant de retirer les pédoncules et de les éplucher. Épépiner les tomates et les couper en dés. Rincer les graines germées et les égoutter.

Mélanger les légumes avec les graines germées et le riz cuit. Ajouter le xérès, la sauce de soja, le sel et le poivre moulu.

Étaler les feuilles de chou sur un plan de travail et retirer les grosses côtes. Répartir la farce de riz et de légumes sur les feuilles de chou. Replier les feuilles sur les légumes et façonner de petits paquets. Sceller fermement les paquets à l'aide de ficelle de cuisine.

Porter le bouillon de légumes à ébullition dans une cocotte minute. Plonger les feuilles de chou farcies dans le bouillon chaud et les laisser mijoter pendant environ 35 minutes. Les sortir ensuite délicatement de la cocotte et retirer la ficelle de cuisine. Servir les feuilles de chou farcies avec une sauce pimentée douce.

Feuilles de bettes farcies

Préchauffer le four à 180 °C (th. 6). Parer les carottes et les panais, les éplucher et les couper en cubes.

Faire chauffer l'huile de noix dans une poêle et y faire revenir les légumes pendant environ 6 minutes. Saler, poivrer et ajouter la noix muscade. Égoutter les champignons dans une passoire en réservant le jus.

Ajouter les champignons et les herbes aux légumes dans la poêle et laisser cuire pendant environ 3 minutes. Mélanger le fromage frais avec le jus des champignons et la sauce de soja dans une terrine, puis y incorporer les légumes. Étaler les feuilles de bette, puis y répartir la préparation précédente. Rouler les feuilles de bette sur la farce et sceller les petits paquets obtenus à l'aide de ficelle de cuisine.

Beurrer un plat à gratin et y disposer les rouleaux. Mélanger les œufs avec le lait et la crème fraîche, puis napper les rouleaux avec la préparation obtenue. Faire cuire au four pendant environ 20 minutes.

Pour 4 personnes

3 carottes
3 panais
2 c.s. d'huile de noix
Sel
Poivre
Noix muscade
300 g de champignons variés
 en boîte
2 c.s. de fines herbes hachées
300 g de fromage frais
2 à 3 c.s. de sauce de soja
 claire
8 feuilles de bette, blanchies
 et parées
2 œufs
250 ml de lait
3 c.s. de crème fraîche
Beurre pour le plat

Préparation :
env. 30 minutes (temps de cuisson
en sus)

Par portion :
env. 405 kcal/1 704 kJ
P : 19 g · L : 32 g · G : 14 g

Pour 4 personnes

150 g de carottes
150 g de panais
150 g de céleri-rave
150 g de rutabaga
250 g de patates douces
2 oignons rouges
2 gousses d'ail
25 g de gingembre frais
4 tomates
Sel
2 c.s. de beurre fondu
2 c.s. de concentré de tomates
2 c.s. de curry en poudre
600 ml de lait de coco non
sucré
4 feuilles de citron kaffir
Poivre blanc
Jus d'un citron vert

Préparation :
env. 35 minutes (temps de cuisson
en sus)

Par portion :
env. 192 kcal/810 kJ
P : 4 g · L : 7 g · G : 28 g

Curry
de légumes

Éplucher les carottes, les panais, le céleri-rave, les patates douces et les rutabagas, puis les couper en cubes d'environ 1 cm de côté. Éplucher les oignons, puis les couper en quartiers. Éplucher l'ail et le gingembre, puis les hacher finement. Parer les tomates, les laver, les sécher et les couper en huit, puis les épépiner.

Faire cuire les cubes de rutabaga dans un gros volume d'eau bouillante salée pendant 5 minutes. Ajouter les carottes, les panais, le céleri et les patates douces, puis laisser cuire pendant encore 2 minutes. Retirer les légumes du feu et les égoutter.

Dans un wok ou une sauteuse, faire chauffer le beurre fondu et y faire revenir rapidement l'oignon, puis le retirer. Faire revenir alors l'ail et le gingembre, puis ajouter le curry, le concentré de tomates et le lait de coco. Remettre l'oignon dans le wok ou dans la sauteuse, puis incorporer les légumes et les feuilles de citron kaffir, puis laisser mijoter pendant environ 15 minutes à feu moyen.

Peu avant la fin de la cuisson, ajouter les morceaux de tomate, saler et poivrer, puis ajouter le jus de citron vert. Servir immédiatement accompagné de riz.

Tomates
à la provençale

Préchauffer le four à 200 °C (th. 6-7). Laver les tomates et retirer les pédoncules. Couper les tomates en deux, puis les creuser à l'aide d'une cuillère. Les laisser égoutter dans une passoire, face coupée en dessous.

Éplucher l'ail et le hacher très finement. Laver le persil, le sécher et le hacher finement. Mélanger la chapelure avec 6 cuillerées à soupe d'huile, l'ail, le persil et le parmesan. Saler et poivrer.

Remplir les demi-tomates avec la farce obtenue, puis les disposer dans un plat à gratin après l'avoir graissé avec l'huile restante. Faire cuire au four pendant environ 30 minutes.

Pour 4 personnes

4 tomates moyennes
2 gousses d'ail
1 bouquet de persil plat
50 g de chapelure
8 c.s. d'huile d'olive
5 c.s. de parmesan
  fraîchement râpé
Sel
Poivre

Préparation :
env. 20 minutes (temps de cuisson en sus)

Par portion :
env. 397 kcal/1 669 kJ
P : 23 g · L : 28 g · G : 13 g

Pour 4 personnes

800 g d'aubergines moyennes
Sel
300 g de mozzarella
1/2 bouquet d'origan
1/2 bouquet de basilic
500 g de tomates (en boîte)
100 g de farine
100 ml d'huile d'olive
50 g de parmesan fraîchement
râpé
Graisse pour le plat

Préparation :
env. 30 minutes (temps de cuisson
en sus)

Par portion :
env. 445 kcal/1 869 kJ
P : 25 g · L : 26 g · G : 27 g

Aubergines au four

Parer, laver et sécher les aubergines, puis les couper en rondelles d'environ 0,5 cm d'épaisseur. Disposer les rondelles d'aubergine dans un plat, les saupoudrer de sel et les laisser dégorger pendant environ 15 minutes.

Préchauffer le four à 180 °C (th. 6). Couper la mozzarella en dés. Laver les fines herbes, les sécher, les effeuiller et les hacher. Mettre les tomates dans un saladier et les réduire en purée à l'aide d'un mixeur plongeant. Incorporer les fines herbes hachées dans la purée de tomates.

Transférer les aubergines dans une passoire et les égoutter soigneusement. Tremper les rondelles d'aubergines dans de la farine. Faire chauffer l'huile d'olive dans une poêle et y faire dorer les aubergines des deux côtés. Les laisser égoutter sur du papier absorbant.

Beurrer un plat à gratin et y disposer une couche de rondelles d'aubergines, puis une couche de purée de tomates et une couche de mozzarella. Répéter l'opération et terminer par une couche de purée de tomates. Saupoudrer enfin de parmesan et faire gratiner au four pendant environ 10 minutes.

Velouté de champignons

Pour 6 personnes

30 g de champignons frais
   ou déshydratés
4 échalotes
30 g de beurre
30 g de farine
250 ml de vin blanc sec
250 ml de crème fraîche
40 g de parmesan frais
1 bouquet de ciboulette
Sel
Poivre fraîchement moulu

Préparation :
env. 30 minutes (temps
de trempage et de cuisson en sus)

Par portion :
env. 240 kcal/1 008 kJ
P : 5 g · L : 19 g · G : 6 g

Laver et sécher les champignons frais ou faire tremper les champignons déshydratés dans 600 ml d'eau chaude pendant au moins 30 minutes. Éplucher les échalotes et les couper en dés fins. Égoutter les champignons trempés dans une passoire en conservant l'eau de trempage.

Avec des champignons frais : faire chauffer le beurre dans une cocotte. Faire revenir les champignons, ajouter les échalotes et poursuivre la cuisson jusqu'à ce qu'elles soient translucides. Saupoudrer de farine et cuire encore quelques instants. Ajouter le vin, 500 ml d'eau et la crème fraîche. Porter à ébullition et laisser mijoter pendant environ 10 minutes.

Avec des champignons déshydratés : faire chauffer le beurre dans une cocotte. Faire suer les échalotes, puis les saupoudrer de farine. Ajouter le vin, l'eau de trempage et la crème fraîche, puis incorporer les champignons. Porter à ébullition et laisser mijoter pendant environ 10 minutes.

Râper finement le parmesan. Laver, sécher et ciseler la ciboulette. Saler et poivrer la soupe. Retirer les champignons.

Juste avant de servir, mixer soigneusement la soupe. Remettre les champignons. Parsemer de ciboulette et saupoudrer de parmesan.

Pour 4 personnes

1 pomme de terre (farineuse)
400 g de potiron
200 g de carottes
3 échalotes
2 gousses d'ail
2 c.s. d'huile d'olive
2 à 3 c.s. de Pastis
600 ml de bouillon instantané
2 brins de thym
Origan, romarin, estragon
(1 brin de chaque)
Sel
Poivre
Env. 2 c.s. de jus de citron
Un peu de zeste d'un citron non
traité
150 g de crème fraîche

Préparation :
env. 20 minutes (temps de cuisson
en sus)

Par portion :
env. 250 kcal/1 050 kJ
P : 4 g · L : 19 g · G : 15 g

Velouté de potiron-carottes

Éplucher la pomme de terre et la laver. Laver le potiron et le couper en deux, puis l'épépiner. Laver les carottes et les éplucher. Éplucher les échalotes et l'ail. Couper tous les ingrédients en petits morceaux.

Faire chauffer l'huile dans une cocotte, puis y faire revenir les échalotes et l'ail. Ajouter la pomme de terre, les carottes et le potiron. Arroser avec le Pastis et mouiller avec le bouillon. Laver les fines herbes et les sécher, et réserver le thym pour la décoration. Ajouter les fines herbes à la soupe. Laisser mijoter pendant environ 15 minutes à feu doux.

Retirer les fines herbes et mixer la soupe à l'aide d'un mixeur plongeant. Saler, poivrer et ajouter le jus et le zeste de citron. Incorporer 100 g de crème fraîche. Répartir le velouté dans des bols et les garnir d'un nuage de crème fraîche et d'un brin de thym.

Quiche au potiron

Décongeler la pâte feuilletée. Laver le potiron, l'épépiner et couper la chair (avec la peau) en tranches d'environ 0,5 cm d'épaisseur. Préchauffer le four à 200 °C (th. 6-7).

Laver le piment, l'épépiner et le hacher finement. Mélanger les deux crèmes fraîches et les œufs dans un saladier avec du sel, du poivre et le poivre de Cayenne. Émietter le fromage de chèvre dans la préparation et bien mélanger.

Beurrer un moule à tarte d'environ 26 cm de diamètre et le saupoudrer de chapelure. Abaisser la pâte feuilletée sur un plan de travail fariné et en foncer le moule à tarte. Piquer le fond de tarte à l'aide d'une fourchette et le faire précuire pendant environ 3 minutes.

Disposer ensuite les tranches de potiron, puis les napper de la préparation aux œufs. Faire cuire la tarte au four pendant environ 35 minutes jusqu'à ce que la surface soit dorée. Servir immédiatement avec une salade verte.

Pour 16 parts

200 g de pâte feuilletée (surgelée)
800 g de potiron
1 piment rouge
150 g de crème fraîche épaisse
100 ml de crème fraîche liquide
3 œufs
Sel
Poivre
Poivre de Cayenne
200 g de fromage de chèvre
Beurre et chapelure pour le moule
Farine pour le plan de travail

Préparation :
env. 20 minutes (temps de cuisson en sus)

Par portion :
env. 158 kcal/663 kJ
P : 20 g · L : 50 g · G : 25 g

Pour 4 personnes

600 g de jeunes fenouils
avec les fanes
Sel
2 œufs
Poivre
165 g de chapelure
55 g de beurre
3 c.s. de parmesan fraîchement
râpé

Préparation :
env. 20 minutes (temps de cuisson
en sus)

Par portion :
env. 366 kcal/1 538 kJ
P : 16 g · L : 19 g · G : 36 g

Beignets de fenouil

Parer et laver les fenouils. Retirer les feuilles extérieures et couper les fenouils en quatre. Retirer le trognon dur et couper les fanes (les réserver).

Porter à ébullition une grande casserole d'eau salée et y faire cuire les fenouils pendant environ 8 minutes. Retirer la casserole du feu et égoutter les fenouils.

Battre les œufs, puis saler et poivrer. Placer la chapelure dans une assiette. Faire chauffer le beurre dans une poêle.

Tremper les fenouils d'abord dans les œufs battus, puis dans la chapelure et les faire revenir dans le beurre chaud jusqu'à ce qu'ils soient dorés. Retirer les fenouils de la poêle et les laisser égoutter sur du papier absorbant, puis les saupoudrer de parmesan.

Hacher les fanes des fenouils et en garnir les beignets de fenouil.

Wok de légumes
au curry

Laver le brocoli et le diviser en fleurettes. Éplucher les carottes et les couper en julienne. Parer, laver et couper le céleri en rondelles. Éplucher la citronnelle et la couper en morceaux.

Éplucher les échalotes et les couper en dés. Éplucher l'ail et le hacher finement. Faire chauffer l'huile dans un wok et bien la répartir sur les parois. Faire revenir la citronnelle, les échalotes et l'ail, saler et poivrer. Ajouter les légumes et faire revenir pendant 4 minutes sans cesser de remuer.

Ajouter le vin de riz, la sauce pimentée et le sucre, et bien mélanger. Incorporer le jus de citron et la sauce de soja. Délayer la pâte de curry avec 200 ml d'eau et ajouter aux légumes. Faire cuire les légumes pendant encore 4 minutes, les retirer et laisser mijoter la sauce pendant quelques instants. Servir immédiatement.

Pour 4 personnes

450 g de brocoli
200 g de carottes
200 g de céleri en branches
2 brins de citronnelle fraîche
2 échalotes
2 gousses d'ail
2 c.s. d'huile de sésame
Sel
Poivre
2 c.s. de vin de riz
1 c.s. de sauce pimentée
1 c.c. de sucre
2 c.s. de jus de citron
2 c.c. de sauce de soja
1 1/2 c.c. de pâte de curry rouge

Préparation :
env. 30 minutes (temps de cuisson en sus)

Par portion :
env. 72 kcal/ 300 kJ
P : 5 g · L : 2 g · G : 7 g

Pour 4 personnes

4 courgettes
2 échalotes
2 gousses d'ail
2 c.s. de farine
4 c.s. d'huile d'olive
1 poignée de menthe fraîche
1 bouquet de persil plat
400 g de tomates (en boîte)
Sel
Poivre
Jus d'un citron
2 c.s. de chapelure
2 c.s. de pecorino fraîchement
râpé
Graisse pour le plat

Préparation :
env. 20 minutes (temps de cuisson
en sus)

Par portion :
env. 293 kcal/1 229 kJ
P : 9 g · L : 16 g · G : 28 g

Gratin de courgettes

Préchauffer le four à 200 °C (th. 6-7). Parer, laver et sécher les courgettes avant de les couper en rondelles. Éplucher les échalotes et l'ail, puis les hacher finement.

Placer la farine dans un plat et y passer les rondelles de courgette. Faire chauffer 2 cuillerées à soupe d'huile dans une poêle et y faire dorer les rondelles de courgette. Les retirer du feu et les réserver.

Laver, sécher et hacher finement les fines herbes. Mettre l'huile restante dans une poêle et y faire revenir les échalotes et l'ail, puis ajouter les tomates avec leur jus, la menthe et la moitié du persil. Faire cuire à feu vif pendant environ 3 minutes, saler et poivrer, puis retirer du feu.

Beurrer un plat à gratin. Disposer la moitié des rondelles de courgette, puis ajouter une couche de sauce tomate et la seconde moitié des rondelles de courgette. Arroser avec le jus de citron .

Mélanger la chapelure avec le fromage râpé et en parsemer le gratin. Faire gratiner au four pendant environ 20 minutes. Garnir avec le persil restant et servir immédiatement.

Pour 4 personnes

1 kg d'épinards frais
5 gousses d'ail
3 c.s. d'huile d'arachide
500 g de germes de soja
2 c.s. de sauce de soja

Préparation :
env. 15 minutes

Par portion :
env. 131 kcal/551 kJ
P : 11 g · L : 9 g · G : 4 g

Épinards
aux germes de soja

Parer les épinards et les laver sous l'eau courante,
puis les essorer. Éplucher l'ail et l'émincer finement.

Faire chauffer l'huile dans un wok et y faire suer l'ail,
puis y ajouter les germes de soja. Ajouter les épinards
et laisser cuire quelques minutes. Assaisonner avec
la sauce de soja et servir.

œufs brouillés
aux champignons

Faire tremper les champignons déshydratés dans de l'eau chaude et les laisser gonfler pendant environ 15 minutes.

Parer le piment, l'épépiner et le laver avant de l'émincer finement. Éplucher le gingembre et le hacher très finement. Parer, laver et couper les oignons verts en rondelles. Laver la coriandre, la sécher et l'effeuiller.

Passer de nouveau les champignons sous l'eau courante, puis les égoutter dans une passoire avant de les couper en morceaux. Battre les œufs, ajouter du sel, du poivre, la sauce de soja et l'huile d'arachide.

Faire chauffer un wok avec l'huile de tournesol. Y faire revenir les champignons. Ajouter les autres ingrédients, y compris les œufs battus, et laisser cuire jusqu'à ce que les œufs soient pris sans cesser de remuer. Garnir les œufs brouillés avec la coriandre et servir immédiatement.

Pour 4 personnes

3 morilles déshydratées
3 champignons shiitaké déshydratés
1 piment rouge
10 g de gingembre
2 oignons verts
2 brins de coriandre
4 œufs
2 c.c. de sauce de soja
Sel
1 pincée de poivre
1 c.c. d'huile d'arachide
2 c.s. d'huile de tournesol

Préparation :
env. 20 minutes (temps de trempage et de cuisson en sus)

Par portion :
env. 181 kcal/760 kJ
P : 9 g · L : 15 g · G : 5 g

Poêlée de légumes au gingembre

Porter à ébullition une grande casserole d'eau salée.
Y plonger les haricots et faire cuire à feu doux et à couvert
pendant environ 30 minutes. Égoutter ensuite les haricots
dans une passoire.

Parer le brocoli et le diviser en fleurettes. Laver les
carottes, les pois mangetout, les poivrons, le poireau et la
courgette, puis les sécher et les couper en fine julienne.
Parer les champignons, retirer les pédoncules, puis les
émincer finement. Retirer les feuilles extérieures du chou
chinois, parer le reste et couper les feuilles en lanières
d'environ 2 cm de largeur. Éplucher le gingembre et l'ail,
et les hacher.

Faire chauffer l'huile dans un wok. Faire revenir d'abord
les carottes, les poivrons, le brocoli et les champignons
pendant 2 minutes sans cesser de remuer. Ajouter
ensuite les pois mangetout, le poireau, la courgette, le
chou chinois, l'ail, le gingembre, les graines de sésame,
les haricots et, enfin, les pâtes de tamarin et de curry.
Faire cuire pendant 3 à 4 minutes sans cesser de remuer.
Mouiller avec le bouillon de légumes, la sauce de soja
et l'huile de sésame, et porter le tout à ébullition
brièvement. Bien mélanger les légumes, saler, poivrer
et servir immédiatement.

Pour 4 personnes

50 g de haricots noirs
Sel
250 g de brocoli
250 g de carottes
125 g de pois mangetout
2 poivrons rouges
1 poireau
1 courgette
200 g de champignons
   shiitakés
250 g de chou chinois
50 g de gingembre frais
3 gousses d'ail
6 c.s. d'huile
20 g de graines de sésame
1 c.s. de pâte de tamarin
1 c.s. de pâte de curry rouge
125 ml de bouillon de légumes
2 c.s. de sauce de soja
2 c.s. d'huile de sésame noir
Poivre

Préparation :
env. 45 minutes (temps de cuisson
en sus)

Par portion :
env. 368 kcal/1 543 kJ
P : 16 g · L : 23 g · G : 22 g

Pour 4 personnes

500 g d'oignons verts
1 piment rouge
2 gousses d'ail
Sel
3 c.s. de beurre fondu
250 ml de vin blanc sec
750 ml de bouillon de légumes
Poivre
1 pincée de sucre
1/2 bouquet de marjolaine
3 tranches de pain
3 c.s. d'huile d'olive
4 c.s. de pecorino fraîchement
râpé

Préparation :
env. 20 minutes (temps de cuisson
en sus)

Par portion :
env. 488 kcal/2 048 kJ
P : 9 g · L : 37 g · G : 19 g

Soupe
à l'oignon vert

Parer et laver les oignons verts, puis les couper en anneaux un peu épais. Parer le piment, l'épépiner, le laver et le hacher finement. Éplucher l'ail et le piler dans un mortier avec un peu de sel.

Faire chauffer le beurre fondu dans une cocotte et y faire revenir les oignons. Ajouter le piment et l'ail, et faire cuire pendant environ 5 minutes sans cesser de remuer. Ajouter le vin blanc et le bouillon. Saler, poivrer et assaisonner avec le sucre.

Laver la marjolaine, la sécher et la hacher finement. Incorporer la marjolaine dans la soupe et laisser mijoter à couvert pendant environ 20 minutes à feu moyen.

Couper le pain en cubes et les faire dorer dans l'huile d'olive chaude. Répartir la soupe à l'oignon dans 4 assiettes et les garnir avec les croûtons et du pecorino fraîchement râpé.

Pour 4 personnes

400 g d'oseille
5 dattes séchées
100 g de cœurs de palmier
en boîte
3 à 4 c.s. d'huile d'arachide
500 ml de bouillon de légumes
Sel
Poivre
Gingembre et clous de girofle
en poudre
2 à 3 c.s. de pâte de haricots
noirs
250 ml de lait de coco non
sucré
2 à 3 c.s. de graines de sésame

Préparation :
env. 15 minutes (temps de cuisson
en sus)

Par portion :
env. 264 kcal/1 110 kJ
P : 8 g · L : 17 g · G : 15 g

Soupe à l'oseille

Laver l'oseille, la sécher et la hacher grossièrement. Couper les dattes en petits morceaux. Égoutter les cœurs de palmier et les couper en petits tronçons. Faire chauffer l'huile dans une casserole et y faire revenir brièvement l'oseille avec les dattes et les cœurs de palmier.

Mouiller avec le bouillon de légumes, puis ajouter le sel, le poivre, le gingembre et les clous de girofle. Ajouter la pâte de haricots noirs et laisser mijoter pendant environ 10 minutes. Incorporer le lait de coco et laisser mijoter pendant encore 1 à 2 minutes sans cesser de remuer.

Faire griller les graines de sésame à sec dans une poêle. Répartir la soupe dans des bols et les parsemer de graines de sésame.

84

Pommes de terre, riz et pâtes

Spaetzle au fromage

Pour 4 personnes

500 g de farine
4 œufs
1 c.c. de sel marin
1 pincée de noix muscade
Poivre
70 g de beurre
Eau minérale
2 gros oignons
400 g d'emmental
ou de gruyère

Préparation :
env. 35 minutes (temps de cuisson
en sus)

Par portion :
env. 577 kcal/2 423 kJ
P : 37 g · L : 47 g · G : 2 g

Préchauffer le four à 80 °C (th. 2-3). Mélanger la farine, les œufs, 1 pincée de sel, la noix muscade, du poivre et 50 g de beurre, puis autant d'eau minérale que nécessaire pour obtenir une pâte élastique et mousseuse. La pâte des spaetzle doit être épaisse et couler lentement d'une cuillère. Éplucher les oignons et les couper en anneaux, puis râper le fromage.

Faire chauffer de l'eau salée dans une casserole jusqu'à ce qu'elle frémisse. Verser des filets de pâte dans l'eau frémissante en la laissant couler d'une cuillère. Lorsque les filets de pâte remontent à la surface, les retirer à l'aide d'une écumoire et les égoutter, puis les disposer dans un plat à gratin. Parsemer de fromage râpé, poivrer et placer dans le four préchauffé. Répéter l'opération avec le reste de la pâte et parsemer la dernière couche de spaetzle avec le fromage restant.

Faire chauffer le beurre restant dans une poêle à feu doux et y faire dorer les anneaux d'oignon. Retirer le plat du four et le garnir avec les oignons.

Riz au curry

Faire cuire le riz dans une grande casserole avec 1/2 litre d'eau. Porter à ébullition et après 10 à 15 minutes, lorsque l'eau s'est en partie évaporée, baisser la température à feu doux, couvrir et laisser cuire encore 5 minutes sans remuer. Laisser refroidir le riz et le placer au réfrigérateur.

Éplucher l'ail, l'oignon et le gingembre, puis les hacher finement. Couper les poivrons en deux et les épépiner, puis les laver et les couper grossièrement en dés. Parer les oignons verts, les laver, les sécher, puis les couper en rondelles. Effeuiller la coriandre, laver les feuilles, puis les hacher.

Mélanger l'huile d'arachide et l'huile de sésame avec 1 pincée de sel. Faire chauffer le mélange dans une poêle à feu vif. Dès que l'huile commence à fumer, faire revenir l'ail, l'oignon et le gingembre pendant 2 minutes sans cesser de remuer. Ajouter le riz et cuire encore 3 minutes en remuant. Ajouter le curry en poudre. Incorporer les poivrons, le maïs, les petits pois et l'huile pimentée, puis laisser cuire pendant encore 3 minutes sans cesser de remuer. Incorporer les oignons verts et la coriandre, saler et poivrer.

Le riz au curry peut être servi aussi bien chaud que froid en salade.

Pour 4 personnes

400 g de riz long-grain
3 gousses d'ail
1 oignon
15 g de gingembre frais
2 poivrons rouges
1/2 botte d'oignons verts
1/2 botte de coriandre
2 c.s. d'huile d'arachide
2 c.c. d'huile de sésame
Sel
1 c.s. de curry de Madras en poudre
100 g de maïs
100 g de petits pois (surgelés)
1 c.c. d'huile pimentée
Poivre noir

Préparation :
env. 30 minutes (temps de cuisson et de refroidissement en sus)

Par portion :
env. 557 kcal/2 334 kJ
P : 11 g · L : 11 g · G : 100 g

Lasagnes aux légumes

Pour 4 personnes

3 petits poivrons, rouge, jaune,
vert
$1/2$ courgette
$1/2$ aubergine
2 tomates
1 oignon
3 c.s. d'huile de noix
2 c.s. de fines herbes fraîches
hachées (thym, romarin,
sarriette et marjolaine)
20 ml de vinaigre de vin rouge
200 ml de bouillon de légumes
Sel
Poivre
250 g de feuilles de lasagne
200 g de fromage persillé
(roquefort, bleu)
50 g de noix de beurre
50 g de chapelure
Beurre pour le moule

Préparation :
env. 30 minutes (temps de cuisson
en sus)

Par portion :
env. 517 kcal/2 171 kJ
P : 16 g · L : 19 g · G : 66 g

Laver les légumes, les parer et les couper en dés. Éplucher l'oignon et le hacher. Faire chauffer de l'huile dans une poêle et y faire revenir les légumes et l'oignon pendant environ 4 minutes. Ajouter les fines herbes, le vinaigre de vin et le bouillon de légumes. Laisser mijoter pendant 4 à 5 minutes. Saler et poivrer.

Préchauffer le four à 180 °C (th. 6). Beurrer un moule à tarte en céramique. Le foncer avec une couche de feuilles de lasagne.

Disposer une couche de légumes sur les lasagnes, puis remettre une couche de lasagne. Terminer par une couche de légumes. Répartir le fromage persillé sur les légumes.

Mélanger les noix de beurre avec la chapelure et répartir le mélange sur le fromage. Placer au four sur une grille à mi-hauteur et faire cuire pendant environ 35 minutes. Retirer les plat du four et servir immédiatement.

Gratin de légumes et gnocchis

Pour 4 personnes

500 g de brocoli
2 poivrons rouges
Sel
400 g de gnocchis
30 g de beurre aux herbes
30 g de farine
250 ml de lait
3 c.s. de crème fraîche
Poivre
Coriandre en poudre
120 g de gouda râpé
Beurre pour le plat

Préparation :
env. 35 minutes (temps de cuisson
en sus)

Par portion :
env. 580 kcal/2 436 kJ
P : 27 g · L : 22 g · G : 76 g

Parer le brocoli, le laver et le diviser en fleurettes.
Couper les poivrons en deux, les épépiner, les laver et les
couper en lanières. Faire cuire le brocoli pendant environ
6 minutes dans l'eau légèrement salée, puis l'égoutter.
Faire cuire les gnocchis dans l'eau bouillante salée
jusqu'à ce qu'ils remontent à la surface, puis les égoutter.

Préchauffer le four à 180 °C (th. 6). Faire chauffer le
beurre aux herbes dans une casserole, puis y délayer
la farine. Incorporer le lait et la crème fraîche, et bien
mélanger. Saler, poivrer et ajouter la coriandre.
Prolonger la cuisson sans cesser de remuer.

Incorporer le fromage et le faire fondre. Mélanger les
légumes avec les gnocchis dans un plat à gratin beurré.
Napper le tout avec la sauce et faire cuire au four pendant
environ 15 minutes. Servir immédiatement.

Pour 4 personnes

700 g de pommes de terre
500 ml de bouillon de légumes
150 g de tomates
1/2 bouquet de persil
50 g d'olives noires
dénoyautées
2 gousses d'ail
Sel
Poivre fraîchement moulu
1 trait de jus de citron
150 g de roquefort
50 ml de crème fraîche
Beurre pour le plat

Préparation :
env. 25 minutes (temps de cuisson
en sus)

Par portion :
env. 399 kcal/1 672 kJ
P : 22 g · L : 20 g · G : 29 g

Gratin au roquefort

Laver les pommes de terre, les éplucher et les couper en fines rondelles. Les faire cuire pendant environ 6 minutes dans le bouillon de légumes.

Préchauffer le four à 180 °C (th. 6). Beurrer un moule à gratin et y disposer les pommes de terre.

Laver, parer et sécher les tomates, puis les couper en tranches. Laver le persil, le sécher et le hacher finement. Couper les olives en rondelles. Éplucher l'ail et le hacher. Mélanger tous les ingrédients. Saler, poivrer et ajouter le jus de citron.

Écraser le roquefort à l'aide d'une fourchette et le mélanger avec la crème fraîche. Disposer la préparation obtenue sur les légumes et faire cuire au four pendant environ 20 minutes.

Pour 4 personnes

200 g de pennes
2 fenouils
200 g de patates douces
3 à 4 c.s. d'huile d'olive
Sel
Poivre
Anis étoilé, clous de girofle et
piment en poudre
500 ml de bouillon de légumes
4 à 5 c.s. de fromage blanc
100 g de gruyère râpé
Beurre pour le plat

Préparation :
env. 20 minutes (temps de cuisson
en sus)

Par portion :
env. 703 kcal/2 955 kJ
P : 17 g · L : 46 g · G : 49 g

Gratin de pâtes et de patates douces

Faire cuire les pâtes selon les instructions figurant sur le paquet. Parer les fenouils, les laver et les hacher. Laver et éplucher les patates douces, puis les couper en cubes.

Faire chauffer l'huile et y faire cuire les légumes pendant environ 10 minutes. Ensuite, les écraser à l'aide d'une fourchette et assaisonner la purée obtenue avec les épices. Mouiller avec le bouillon de légumes et laisser mijoter pendant environ 3 minutes. Incorporer le fromage blanc.

Préchauffer le four à 200 °C (th. 6-7°). Beurrer un plat à gratin. Après les avoir égouttées, transférer les pâtes dans le plat et les napper avec la purée de légumes. Parsemer le plat avec le gruyère râpé et faire gratiner au four pendant environ 6 minutes.

Gratin de macaronis

Faire cuire les macaronis dans un grand volume d'eau salée en suivant les instructions figurant sur le paquet. Râper les deux variétés de fromage et les mélanger. Éplucher les oignons et les couper en anneaux.

Préchauffer le four à 180 °C (th. 6). Disposer une couche de macaronis dans un plat à gratin beurrée et parsemer de fromage râpé, puis répéter l'opération et terminer par du fromage râpé. Faire cuire au four pendant environ 15 minutes.

Faire revenir les oignons dans de l'huile chaude. Ajouter le beurre et prolonger la cuisson, puis égoutter les oignons sur du papier absorbant et en garnir le gratin de macaronis.

Pour 4 personnes

500 g de macaronis
Sel
140 g d'emmental
60 g de parmesan
6 oignons
8 c.s. d'huile
20 g de beurre
Beurre pour le plat

Préparation :
env. 15 minutes (temps de cuisson en sus)

Par portion :
env. 785 kcal/3 285 kJ
P : 31 g · L : 34 g · G : 89 g

Gâteau
de pommes de terre

Préchauffer le four à 200 °C (th. 6-7). Mélanger le fromage blanc avec le lait, l'huile, 1 œuf et un peu de sel. Ajouter la levure chimique à la farine et incorporer le mélange obtenu précédemment, jusqu'à obtention d'une pâte épaisse et souple. Foncer un moule de 26 cm de diamètre beurré avec la pâte et presser la pâte sur les parois latérales.

Éplucher les pommes de terre et les couper en tranches. Nettoyer les champignons à l'aide d'un linge humide, puis les couper en tranches. Éplucher l'oignon et le couper en dés.

Faire chauffer 50 g de beurre dans une sauteuse et y faire revenir l'oignon. Ajouter les champignons et les faire revenir pendant 3 minutes, puis ajouter les pommes de terre. Saler et poivrer, puis ajouter la noix muscade et la coriandre.

Disposer la préparation dans le moule, sur la pâte, et faire cuire au four pendant environ 25 minutes. Faire chauffer le beurre restant sans le faire dorer, puis le laisser refroidir. Séparer les blancs des jaunes d'œufs restants et mélanger les jaunes avec le beurre fondu. Arroser le gâteau chaud avec le mélange et le remettre au four pendant encore 5 minutes.

Pour 12 parts

125 g de fromage blanc
3 c.s. de lait
4 c.s. d'huile
5 œufs
Sel
200 g de farine
$1/2$ c.c. de levure chimique
300 g de pommes de terre
  en robe des champs
300 g de champignons de Paris
1 oignon
200 g de beurre
Poivre
$1/2$ c.c. de noix muscade
en poudre
$1/2$ c.c. de coriandre en poudre
Beurre pour le moule

Préparation :
env. 25 minutes (temps de cuisson en sus)

Par portion :
env. 251 kcal/1 054 kJ
P : 8 g · L : 17 g · G : 17 g

Pour 4 personnes

8 petites pommes de terre
4 c.c. de gros sel marin
1/2 bouquet de cerfeuil
1/2 bouquet de ciboulette
50 g de beurre (pas trop froid)
25 g de beurre aux truffes
Sel
Poivre
60 g de crème fraîche
2 c.c. de truffes marinées dans
l'huile d'olive, coupées en
rondelles

Préparation :
env. 15 minutes (temps de cuisson
et de refroidissement en sus)

Par portion :
env. 345 kcal/1 444 kJ
P : 5 g · L : 23 g · G : 29 g

Pommes de terre
aux truffes

Laver les pommes de terre et les brosser. Placer chaque pomme de terre sur du papier d'aluminium et les saupoudrer de sel marin, puis refermer le papier d'aluminium. Placer les pommes de terre au four préchauffé à 200 °C (th. 6-7) et faire cuire pendant environ 1 heure.

Laver le cerfeuil et la ciboulette et les sécher. Effeuiller le cerfeuil, puis hacher les feuilles. Ciseler finement la ciboulette. Battre le beurre avec le beurre aux truffes à l'aide d'un batteur, saler et poivrer. Incorporer la crème fraîche et les fines herbes, puis placer le mélange au réfrigérateur.

Retirer les pommes de terre du four et ouvrir le papier d'aluminium. Pratiquer une entaille en forme de croix sur les pommes de terre, en les maintenant à l'aide d'un torchon pour ne pas se brûler. Remplir la cavité avec le mélange beurre-crème fraîche. Garnir avec des rondelles de truffes et servir avec une salade verte.

Gratin de printemps

Laver les pommes de terre, puis les faire cuire dans l'eau bouillante. Les égoutter et les éplucher, puis les couper en rondelles et les saupoudrer de sel.

Laver les asperges, les éplucher et retirer l'extrémité ferme, puis les couper en morceaux et les faire cuire dans l'eau bouillante salée en ajoutant le sucre et le beurre. Parer le chou-rave et les carottes, puis les éplucher. Couper le chou-rave en morceaux et les carottes en rondelles. Faire cuire les légumes dans l'eau bouillante salée. Laver les pois mangetout et les faire cuire aussi dans l'eau bouillante salée. Laver le persil, le sécher et le hacher.

Disposer les pommes de terre et les légumes dans un plat à gratin beurré. Parsemer la préparation de persil haché et mouiller avec le bouillon de légumes. Répartir ensuite le fromage et la biscotte émiettés sur le gratin. Faire gratiner au four préchauffé à 200 °C (th. 6-7) pendant environ 30 minutes.

Pour 4 personnes

500 g de pommes de terre
Sel
250 g d'asperges blanches
1 pincée de sucre
1 c.c. de beurre
1 chou-rave
300 g de carottes
200 g de pois mangetout
1 bouquet de persil
6 c.s. de bouillon de légumes
300 g de camembert de chèvre
2 biscottes
Beurre pour le moule

Préparation :
env. 35 minutes (temps de cuisson en sus)

Par portion :
env. 395 kcal/1 620 kJ
P : 21 g · L : 21 g · G : 28 g

Pour 4 personnes

1 échalote
150 g d'oseille
100 g de feuilles d'épinards
1 botte de feuilles de céleri
1 botte de cresson
1 bouquet de cerfeuil
1 bouquet de persil plat
1 kg de pommes de terre
farineuses cuites
1 1/2 concombre
200 g de beurre
Gros sel marin
3 c.s. de crème fraîche
Poivre fraîchement moulu

Préparation :
env. 30 minutes (temps de cuisson
en sus)

Par portion :
env. 330 kcal/1 386 kJ
P : 9 g · L : 14 g · G : 42 g

Soupe verte

Éplucher l'échalote et l'émincer finement. Laver les légumes à feuilles et les fines herbes et les sécher, en réservant quelques feuilles de fines herbes. Éplucher les pommes de terre, les laver et les couper en dés.

Laver le concombre, le couper en deux et l'épépiner à l'aide d'une cuillère, puis le couper en petits morceaux. Faire fondre la moitié du beurre dans une cocotte et y faire revenir les légumes à feuilles, les fines herbes et le concombre. Faire cuire à couvert pendant 5 minutes. Les légumes ne doivent pas dorer.

Mouiller les légumes avec 1,5 l d'eau, ajouter les pommes de terre, saler et laisser frémir pendant environ 25 minutes.

À la fin de la cuisson, retirer la soupe du feu. Incorporer le reste du beurre et la crème fraîche à l'aide d'un mixeur plongeant, et bien mixer. Saler et poivrer. Servir la soupe dans des assiettes creuses et garnir avec des feuilles de fines herbes.

Pour 4 personnes

250 g de vermicelle de riz
2 poivrons rouges
2 poivrons jaunes
6 brins de coriandre
4 c.s. d'huile végétale
4 c.s. de nuoc mam
2 c.s. de miel
2 c.s. de vinaigre de riz

Préparation :
env. 15 minutes

Par portion :
env. 342 kcal/1 440 kJ
P : 6 g · L : 11 g · G : 55 g

Vermicelle
aux poivrons

Faire cuire le vermicelle de riz en suivant les instructions figurant sur le paquet, puis l'égoutter soigneusement dans une passoire.

Couper les poivrons en deux, les épépiner, les laver et les couper en morceaux. Laver, sécher et hacher la coriandre.

Faire chauffer l'huile dans un wok et y faire revenir les morceaux de poivron avec la coriandre hachée. Ne pas laisser cuire trop longtemps, le poivron doit rester un peu ferme.

Ajouter le vermicelle de riz, le nuoc mam, le miel et le vinaigre de riz. Faire chauffer brièvement et servir immédiatement.

102

Fleurs de courgettes farcies

Couper les étamines et le pistil des fleurs de courgettes. Retirer les feuilles et laver les fleurs.

Laver le riz et l'égoutter. Éplucher l'oignon et le hacher finement. Laver les fines herbes, les sécher et les hacher aussi finement.

Mélanger le riz, l'oignon, les fines herbes, le concentré de tomates et l'huile d'olive, puis saler et poivrer.

Remplir chaque fleur de courgettes avec une cuillerée à soupe de la farce obtenue. Refermer les bords des fleurs.

Disposer les fleurs farcies dans une casserole, puis les couvrir à hauteur d'eau salée. Faire cuire à feu moyen pendant environ 30 minutes. Rajouter de l'eau si nécessaire.

Pour 4 personnes

8 fleurs de courgettes
80 g de riz long-grain
1 oignon
1/2 bouquet d'aneth
1/2 bouquet de menthe
8 c.s. de concentré de tomates
2 c.s. d'huile d'olive
Sel
Poivre

Préparation :
env. 15 minutes (temps de cuisson en sus)

Par portion :
env. 148 kcal/620 kJ
P : 3 g · L : 6 g · G : 20 g

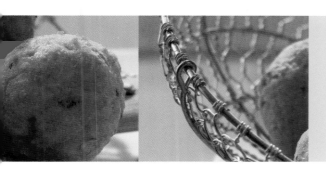

Croquettes de patates douces

Laver les patates douces, les éplucher et les couper en dés. Les faire cuire dans une cocotte-minute ou dans une casserole d'eau salée. Retirer les patates douces du feu et les égoutter. Placer les patates douces dans un saladier et les réduire en purée.

Parer les oignons verts, les laver et les émincer finement. Ajouter l'œuf, le sucre, le sel et la farine à la purée de patates douces, et bien mélanger. La purée obtenue doit être assez sèche, de façon à ne pas coller aux doigts. Incorporer la coriandre.

Faire chauffer l'huile dans une cocotte. Façonner des boules de purée de la taille d'une noix et les faire dorer dans l'huile chaude pendant environ 3 à 4 minutes. Disposer ensuite les croquettes sur du papier absorbant.

Servir avec de l'huile pimentée. Servir les croquettes chaudes ou froides.

Pour 6 personnes

500 g de patates douces
$^1/_2$ botte d'oignons verts
1 œuf
1 $^1/_2$ c.s. de sucre de canne
1 c.s. de sel
2 $^1/_2$ c.s. de farine
1 c.s. de coriandre fraîche
   hachée
Huile pour la friture
Sauce pimentée en
   accompagnement

Préparation :
env. 20 minutes (temps de cuisson en sus)

Par portion :
env. 139 kcal/584 kJ
P : 3 g · L : 3 g · G : 23 g

Soupe de pommes de terre aux pleurotes

Pour 4 personnes

500 g de pommes de terre
1 botte de légumes divers
1 oignon
40 g de beurre
1 c.c. de marjolaine séchée
800 ml de bouillon de légumes
300 g de pleurotes
1 c.s. d'huile
Sel
Poivre
Noix muscade
200 ml de crème fraîche
1 c.s. de jus de citron
2 c.s. de feuilles de cerfeuil

Préparation :
env. 25 minutes (temps de cuisson en sus)

Par portion :
env. 310 kcal/1 302 kJ
P : 7 g · L : 21 g · G : 24 g

Éplucher les pommes de terre, les légumes et l'oignon, puis les laver et les couper en dés. Faire fondre la moitié du beurre dans une cocotte et y faire revenir les légumes. Ajouter la marjolaine.

Mouiller avec le bouillon, porter à ébullition et laisser mijoter pendant 25 minutes jusqu'à ce que les légumes soient tendres. Pendant ce temps, nettoyer les pleurotes et les émincer.

Faire chauffer le beurre restant dans une poêle avec l'huile et y faire revenir les champignons pendant environ 5 minutes. Saler et poivrer.

Réduire la soupe en purée, saler et poivrer, puis assaisonner avec la noix muscade. Faire réchauffer la soupe pendant 10 minutes. Fouetter la crème fraîche. Incorporer le jus de citron et la crème fouettée dans la soupe, puis ajouter les champignons et le cerfeuil, et servir immédiatement.

Soupe italienne de pommes de terre

Éplucher l'ail et l'oignon. Laver les pommes de terre, les éplucher et les couper en rondelles. Laver le céleri en branche et le couper aussi en rondelles.

Faire chauffer l'huile dans une cocotte et y faire revenir l'ail et l'oignon, puis ajouter les pommes de terre. Incorporer le céleri et la sauge, et prolonger la cuisson. Mouiller le tout avec le bouillon et laisser mijoter pendant environ 20 minutes.

Pratiquer une entaille en forme de croix sur les tomates et retirer les pédoncules. Plonger ensuite les tomates dans l'eau bouillante, puis les éplucher et les épépiner, avant de les couper en quartiers. Saler et poivrer la soupe, puis y incorporer les tomates. Réchauffer la soupe. Servir immédiatement la soupe et la garnir avec du persil et du parmesan.

Pour 6 personnes

1 oignon
1 gousse d'ail
500 g de pommes de terre
3 branches de céleri
2 c.s. d'huile d'olive
1 c.c. de sauge hachée
1 l de bouillon de légumes
300 g de tomates
Sel
Poivre
1 c.s. de persil haché
50 g de parmesan râpé

Préparation :
env. 25 minutes (temps de cuisson en sus)

Par portion :
env. 233 kcal/973 kJ
P : 11 g · L : 11 g · G : 24 g

Pour 4 personnes

1 gousse d'ail
2 échalotes
2 c.c. de poivre du Sichuan
(pilé)
Huile
1 grosse boîte de tomates
concassées
Sel
1 c.c. de sucre
2 c.s. de concentré de tomates
400 g de nouilles chinoises
aux œufs
450 g de carottes
600 g de petits pois
1 petit chou-fleur
1 bouquet de basilic thaïlandais

Préparation :
env. 30 minutes (temps de cuisson
en sus)

Par portion :
env. 495 kcal/ 2 065 kJ
P : 31 g · L : 9 g · G : 70 g

Galettes de nouilles aux légumes

Éplucher l'ail et les échalotes, puis les hacher et les faire revenir dans de l'huile chaude, dans une poêle, avec le poivre du Sichuan. Ajouter les tomates et laisser mijoter à couvert pendant environ 10 minutes. Filtrer la préparation au chinois et assaisonner avec du sel et du sucre, puis incorporer le concentré de tomates. Faire réchauffer la sauce tomate et la maintenir au chaud.

Faire bouillir de l'eau salée et y faire cuire les nouilles pendant 3 à 4 minutes, puis les égoutter et leur ajouter 2 à 3 cuillerées à soupe d'huile.

Parer les carottes, puis les éplucher et les râper grossièrement. Écosser les petits pois et parer le chou-fleur et le diviser en fleurettes avant de faire cuire le tout à couvert, dans de l'eau bouillante salée, pendant 5 minutes. Laver le basilic, le sécher et hacher les feuilles.

Égoutter les nouilles et les diviser en quatre portions. Faire revenir chaque portion dans l'huile chaude, dans une poêle, pendant 3 à 4 minutes de chaque côté jusqu'à ce que les galettes de nouilles soient croustillantes. Maintenir les galettes de nouilles au four chauffé à 100 C° (th. 3-4) jusqu'à ce que toutes les galettes soient dorées.

Disposer les légumes égouttés sur les galettes de nouilles, garnir avec des feuilles de basilic et de la sauce tomate. Servir la sauce tomate restante dans une saucière.

Pour 4 personnes

8 grosses pommes de terre
cuites
Sel
1 kg d'asperges vertes
750 ml de bouillon de légumes
3 c.s. de beurre fondu
1 bouquet d'estragon
2 cl de madère
2 tranches de pain de seigle
2 c.s. d'huile
200 g de gruyère râpé

Préparation :
env. 20 minutes (temps de cuisson
en sus)

Par portion :
env. 558 kcal/2 338 kJ
P : 22 g · L : 30 g · G : 45 g

Pommes
de terres farcies

Laver les pommes de terre et les faire cuire pendant
environ 25 minutes dans de l'eau bouillante salée. Pendant
ce temps, parer les asperges, puis les couper en tronçons.
Les faire cuire dans le bouillon de légumes bouillant
pendant environ 10 minutes. Retirer les asperges du feu et
les égoutter. Égoutter les pommes de terre et les couper
en deux, puis les creuser délicatement.

Faire chauffer le beurre fondu et y faire revenir les
asperges. Laver l'estragon, le sécher et le hacher
finement. Ajouter le madère et l'estragon aux asperges.

Émietter le pain de seigle et le mélanger avec l'huile.
Farcir les pommes de terre avec les asperges et le pain
de seigle, puis répartir le fromage râpé.

Placer les pommes de terre au four et les faire gratiner
pendant environ 10 minutes.

céréales et
légumes secs

Lentilles jaunes aux châtaignes

Pour 4 personnes

10 châtaignes
2 gousses d'ail
6 c.s. d'huile d'olive
250 g de lentilles jaunes
2 c.s. de thym frais haché
1 feuille de laurier
100 g de tomates en boîte
1 pincée de poudre de piment
1 c.c. de bouillon en poudre
Sel
Poivre
1/2 bouquet de persil

Préparation :
env. 40 minutes (temps de cuisson
en sus)

Par portion :
env. 333 kcal/1 397 kJ
P : 16 g · L : 7 g · G : 50 g

Préchauffer le four à 180 °C (th. 6). Entailler la peau des châtaignes en forme de croix et les faire cuire au four, sur une plaque à pâtisserie, pendant environ 30 minutes. Les laisser refroidir, puis les éplucher et les hacher grossièrement ou le couper en quatre.

Éplucher l'ail et le hacher finement. Faire chauffer 2 cuillerées à soupe d'huile dans une casserole et y faire revenir l'ail. Ajouter les lentilles et bien mélanger. Ajouter le thym et le laurier, puis couvrir d'eau. Faire cuire à feu moyen pendant environ 30 minutes.

Faire griller les châtaignes à sec dans une poêle jusqu'à ce que les arômes commencent à se diffuser. Incorporer les châtaignes, les tomates, la poudre de piment et le bouillon en poudre aux lentilles, puis laisser mijoter pendant encore 20 minutes jusqu'à évaporation complète du liquide de cuisson. Saler et poivrer, puis arroser avec l'huile d'olive restante.

Laver le persil, le sécher et le hacher grossièrement. L'ajouter aux lentilles et servir immédiatement. Accompagner de pain ciabatta.

Pour 4 personnes

2 oignons
125 ml d'huile
2 échalotes
1 piment rouge
350 g de lentilles rouges
1/2 c.c. de coriandre hachée
80 g de beurre
500 ml de bouillon de légumes
1 bouquet de coriandre
250 g de fromage blanc
Sel
Poivre
4 blancs de poireau
1 c.s. de graines de moutarde
1 c.c. de curry en poudre (forte)

Préparation :
env. 35 minutes (temps de cuisson
en sus)

Par portion :
env. 911 kcal/ 3 812 kJ
P : 26 g · L : 68 g · G : 47 g

Purée de lentilles à la coriandre

Éplucher les oignons et les couper en anneaux fins. Faire chauffer de l'huile dans une poêle et faire frire les oignons jusqu'à ce qu'ils soient croustillants. Éplucher les échalotes et les couper en dés. Parer le piment, le couper en deux dans la longueur, l'épépiner et le hacher finement.

Faire chauffer 40 g de beurre dans une casserole, ajouter les lentilles, les échalotes, le piment et la coriandre, puis mouiller avec les trois quarts du bouillon de légumes. Porter à ébullition brièvement, puis baisser le feu et laisser mijoter pendant 20 à 25 minutes, en remuant régulièrement.

Laver le bouquet de coriandre et le sécher. L'effeuiller en réservant quelques feuilles, puis hacher le reste grossièrement. Ajouter le fromage blanc aux lentilles, puis réduire le tout en purée. Saler, poivrer et ajouter la coriandre hachée. Couvrir la casserole et laisser au chaud à feu très doux.

Laver les poireaux et les couper en tronçons de 4 cm de longueur. Faire chauffer le beurre restant dans une poêle et y faire revenir brièvement les graines de moutarde et le curry, puis ajouter les poireaux. Mouiller avec le bouillon de légumes restant et laisser mijoter à couvert pendant 10 minutes. Assaisonner avec du poivre.

Mélanger la purée de lentilles avec les oignons et les poireaux, puis répartir dans des assiettes. Garnir avec les feuilles de coriandre restantes et servir immédiatement.

Pour 4 personnes

2 concombres moyens
1 botte d'oignons verts
1 morceau de gingembre frais
de 4 cm
2 gousses d'ail
1 piment rouge
3 à 4 c.s. d'huile de sésame
1 c.s. de sucre de canne
2 à 3 c.s. de sauce de soja
1 à 2 c.c. de poivre du Sichuan
1 c.s. d'huile pimentée
150 g de boulgour

Préparation :
env. 20 minutes (temps de cuisson
en sus)

Par portion :
env. 256 kcal/1 075 kJ
P : 6 g · L : 15 g · G : 30 g

Boulgour
à la sichuanaise

Laver les concombres, les couper en deux et les épépiner avant de les couper en tranches. Laver les oignons verts et les couper en petits tronçons.

Éplucher l'ail et le gingembre, puis les hacher finement. Laver le piment, le couper en deux et l'épépiner, puis l'émincer finement.

Faire chauffer l'huile dans un wok et y faire revenir les légumes pendant environ 6 minutes. Ajouter le sucre de canne, la sauce de soja, l'huile pimentée et le poivre du Sichuan.

Laisser mijoter pendant encore 6 à 8 minutes. Pendant ce temps, préparer le boulgour en suivant les instructions figurant sur le paquet. Ajouter le boulgour aux légumes dans le wok et bien mélanger. Servir immédiatement.

Soupe de petits pois

Écosser les petits pois et faire blanchir les cosses dans 1,5 l d'eau salée. Filtrer la décoction. Laver la carotte, l'éplucher et la couper en julienne.

Faire revenir les petits pois dans 20 g de beurre chaud, puis ajouter la carotte et faire revenir brièvement. Assaisonner avec le sucre et le sel, puis laisser mijoter pendant environ 7 minutes.

Faire fondre le beurre restant dans une casserole et y délayer la farine. Ajouter la décoction de cosses de petits pois et porter à ébullition, puis laisser frémir pendant 10 minutes. Ajouter les petits pois et la carotte, puis saler et poivrer.

Battre le jaune d'œuf avec la crème fraîche et incorporer le mélange à la soupe. La soupe ne doit surtout plus bouillir. Servir la soupe et la garnir de persil haché.

Pour 4 personnes

500 g de petits pois frais
Sel
1 carotte
60 g de beurre
Sucre
30 g de farine
Poivre
1 jaune d'œuf
3 c.s. de crème fraîche
1/2 bouquet de persil haché

Préparation :
env. 20 minutes (temps de cuisson en sus)

Par portion :
env. 288 kcal/1 209 kJ
P : 10 g · L : 17 g · G : 22 g

117

Pour 4 personnes

50 g de haricots blancs frais
(écossés)
150 de petits pois frais
(écossés)
200 g de carottes
200 g de courgettes
1 oignon
200 g de pommes de terre
1 blanc de poireau
1 branche de céleri
200 g de chou vert
3 c.s. de beurre
200 g de tomates concassées
en boîte
Sel
Poivre
200 g de riz
1 gousse d'ail
1 c.s. de persil haché
1 c.s. d'origan haché
Parmesan fraîchement râpé
à volonté

Préparation :
env. 50 minutes (temps de cuisson
en sus)

Par portion :
env. 465 kcal/1 950 kJ
P : 15 g · L : 17 g · G : 63 g

Minestrone

Parer et laver les légumes, puis éplucher et couper ceux qui doivent l'être. Effeuiller le chou et couper les feuilles en morceaux.

Faire chauffer le beurre dans une grande cocotte, y faire revenir l'oignon et le poireau pendant quelques minutes. Ajouter les carottes, les courgettes, les pommes de terre, le céleri, le chou, les haricots, les petits pois et les tomates avec leur jus. Saler et poivrer, puis laisser cuire pendant environ 5 minutes.

Ajouter 2 l d'eau, porter à ébullition et laisser mijoter à couvert pendant environ 45 minutes. Incorporer le riz et laisser mijoter pendant 15 minutes jusqu'à ce que le riz soit cuit.

Éplucher l'ail, le hacher finement et l'ajouter à la soupe. Répartir la soupe dans des assiettes creuses. Parsemer avec les fines herbes hachées et saupoudrer de parmesan.

Pois chiches aux tomates

Faire tremper les pois chiches pendant toute une nuit.
Le lendemain, les égoutter et les faire cuire pendant
20 minutes dans un grand volume d'eau salée, puis les
égoutter.

Éplucher le gingembre. Parer et laver les oignons verts et
les piments. Épépiner les piments. Éplucher l'ail. Hacher
le tout finement. Faire fondre le beurre clarifié dans une
cocotte et y faire revenir le gingembre, les oignons verts,
les piments et l'ail pendant environ 3 minutes sans
cesser de remuer.

Laver les tomates, retirer les pédoncules et couper la
pulpe en dés avant de l'ajouter dans la cocotte. Ajouter
les grains de grenade, le garam masala, le sel et le
poivre, et bien mélanger. Incorporer les pois chiches.
Mouiller avec le bouillon de légumes et laisser mijoter
pendant 25 minutes à feu doux.

Assaisonner les pois chiches avec le jus de citron et
servir, puis garnir de coriandre hachée. Accompagner
les pois chiches avec du riz.

Pour 4 personnes

500 g de pois chiches
25 g de gingembre frais
$^1/_2$ botte d'oignons verts
2 piments verts
3 gousses d'ail
2 $^1/_2$ c.s. de ghee (beurre
   clarifié)
3 tomates
1 c.s. de grains de grenade
   concassés
2 $^1/_2$ c.s. de garam masala
1 c.c. de sel
1 pincée de poivre
100 à 150 ml de bouillon
   de légumes
1 c.s. de jus de citron
3 c.s. de coriandre fraîche
   hachée

Préparation :
env. 25 minutes (temps
de trempage et de cuisson en sus)

Par portion :
env. 220 kcal/922 kJ
P : 10 g · L : 6 g · G : 30 g

Pour 4 personnes

300 g de haricots blancs
1 l de bouillon de légumes
2 oignons
2 gousses d'ail
1 carotte
1 branche de céleri
1 blanc de poireau
1 brin de romarin
1 petit piment rouge
100 ml d'huile d'olive
Sel
Poivre
4 tranches de pain
40 g de parmesan fraîchement
râpé

Préparation :
env. 30 minutes (temps de
trempage et de cuisson en sus)

Par portion :
env. 407 kcal/1 711 kJ
P : 25 g · L : 12 g · G : 24 g

Soupe de haricots à la florentine

Faire tremper les haricots pendant toute une nuit dans un grand volume d'eau. Le lendemain, les égoutter et les placer dans une cocotte. Ajouter le bouillon de légumes et 500 ml d'eau. Éplucher 1 oignon et 1 gousse d'ail, et les hacher. Parer et laver les légumes, puis éplucher la carotte et couper le tout en cubes. Laver le romarin et le sécher, puis l'effeuiller et hacher les feuilles. Laver le piment, l'épépiner et le hacher finement.

Faire chauffer 2 cuillerées à soupe d'huile d'olive dans une poêle. Y faire revenir l'oignon, l'ail et les légumes, puis ajouter le romarin et le piment. Ajouter le tout aux haricots et laisser mijoter à couvert pendant 1 heure à feu moyen, jusqu'à ce que les haricots soient tendres.

Éplucher la seconde gousse d'ail et la hacher, puis la mélanger avec l'huile restante. Éplucher le second oignon et le couper en anneaux fins. Préchauffer le four à 200 °C (th. 6-7).

Prélever la moitié de la soupe aux haricots et la réduire en purée à l'aide d'un mixeur plongeant, puis la remettre dans la cocotte. Incorporer la moitié de l'huile à l'ail.

Répartir la soupe dans quatre bols résistant à la chaleur. Garnir avec les tranches de pain et saupoudrer avec la moitié du parmesan, puis arroser avec l'huile à l'ail restante, garnir avec les anneaux d'oignon et le parmesan restant. Faire gratiner au four pendant environ 20 minutes. Servir immédiatement.

Curry de carottes aux lentilles rouges

Éplucher les oignons et les émincer grossièrement. Laver et sécher le piment, puis le couper en deux dans la longueur, l'épépiner et l'émincer finement. Éplucher les carottes, puis les couper en deux dans longueur. Éventuellement, les recouper en deux tronçons selon leur grosseur.

Faire chauffer le beurre dans une cocotte et y faire revenir les oignons, le piment et les carottes. Ajouter les raisins secs et le sucre, et incorporer le curry en poudre. Mouiller la préparation avec le jus de carottes et porter à ébullition. Incorporer les lentilles et laisser mijoter à couvert pendant environ 15 minutes.

Faire griller les amandes à sec dans une poêle sans cesser de remuer, puis les concasser grossièrement. Laver le persil, le sécher, puis hacher finement les feuilles.

Ajouter le jus de citron au curry de carottes et saler, puis ajouter les amandes et le persil. Garnir avec de la coriandre et servir avec du pain indien naan.

Pour 4 personnes

2 à 3 oignons
1 piment rouge
750 g de carottes
30 g de beurre
1 c.c. de sucre
40 g de raisins secs
2 c.c. de curry en poudre
500 ml de jus de carottes
60 g de lentilles rouges
50 g d'amandes
  (non épluchées)
1 bouquet de persil
1 c.c. de jus de citron
Sel
1 brin de coriandre

Préparation :
env. 30 minutes (temps de cuisson en sus)

Par portion :
env. 221 kcal/930 kJ
P : 4 g · L : 11 g · G : 39 g

Pour 4 personnes

250 ml de lait
Sel
Noix muscade fraîchement
râpée
110 g de polenta
400 g de petites tomates
1 c.s. de vinaigre de vin blanc
70 ml d'huile d'olive
Poivre
Sucre à volonté
1/2 bouquet de basilic

Préparation :
env. 30 minutes (temps de cuisson,
refroidissement et réfrigération
en sus)

Par portion :
env. 247 kcal/1 037 kJ
P : 4 g · L : 14 g · G : 23 g

Croquettes de polenta

Mélanger le lait avec 250 ml d'eau, du sel et 1 pincée de noix muscade, puis porter à ébullition. Délayer la polenta dans le lait et laisser cuire à feu moyen pendant environ 15 minutes. Étaler ensuite la polenta cuite sur 1,5 cm d'épaisseur sur une plaque de four chemisée de papier sulfurisé, la laisser refroidir, puis la réfrigérer pendant environ 3 heures.

Laver les tomates, retirer les pédoncules et couper la chair en huit. Mélanger le vinaigre avec 5 cuillerées à soupe d'huile, du sel, du poivre et du sucre.

Couper la polenta en petites parts et les faire dorer dans une poêle avec l'huile restante. Mélanger les tomates avec la vinaigrette.

Laver le basilic, le sécher et ciseler les feuilles. En garnir les croquettes de polenta et les servir tièdes.

Index des recettes